L'épilepsie chez l'enfant et l'adolescent

La Collection du CHU Sainte-Justine
pour les parents

L'épilepsie chez l'enfant et l'adolescent

Sous la direction de Anne Lortie et Michel Vanasse

Éditions du CHU Sainte-Justine
Centre hospitalier universitaire mère-enfant

Catalogage avant publication de la Bibliothèque nationale du Canada

Vedette principale au titre:

L'épilepsie chez l'enfant et l'adolescent

(La Collection du CHU Sainte-Justine pour les parents)
Comprend des réf. bibliogr.

ISBN 2-89619-070-8

1. Épilepsie chez l'enfant - Ouvrages de vulgarisation. I. Lortie, Anne. II. Vanasse, Michel. III. Collection: Collection du CHU Sainte-Justine pour les parents.

RJ496.E6E64 2006 618.92'853 C2006-942021-1

Illustration de la couverture: Yayo

Infographie: Folio infographie

Diffusion-Distribution au Québec: Prologue inc.
en France: CEDIF (diffusion) – Casteilla (distribution)
en Belgique et au Luxembourg: SDL Caravelle S.A.
en Suisse: Servidis S.A.

Éditions du CHU Sainte-Justine
3175, chemin de la Côte-Sainte-Catherine
Montréal (Québec) H3T 1C5
Téléphone: (514) 345-4671
Télécopieur: (514) 345-4631
www.chu-sainte-justine.org/editions

ISBN: 978-2-89619-070-6

Dépôt légal: Bibliothèque et Archives nationales du Québec, 2007
Bibliothèque et Archives Canada, 2007

Liste des auteurs

Stéphanie Benoît
Nutritonniste
CHU Sainte-Justine

Lionel Carmant
Neuropédiatre
CHU Sainte-Justine

Dominic Chartrand
Infirmier clinicien
CHU Sainte-Justine

Patrick Cossette
Neurologue
CHUM

Guy D'Anjou
Neuropédiatre
CHU Sainte-Justine

Line Deschamps
Travailleuse sociale
CHU Sainte-Justine

Paola Diadori
Neuropédiatre
CHU Sainte-Justine

Élaine Garant
Orthophoniste
CHU Sainte-Justine

Albert Larbrisseau
Neurologue et pédiatre
CHU Sainte-Justine

Maryse Lassonde
Neuropsychologue
CHU Sainte-Justine

Anne Lortie
Neurologue et pédiatre
CHU Sainte-Justine

Philippe Major
Neuropédiatre
CHU Sainte-Justine

Céline Odier
Résidente en neurologie
CHUM

Pierre Pelletier
Psychologue
CHU Sainte-Justine

Elsa Rossignol
Résidente en neuropédiatrie
CHU Sainte-Justine

Aurore Therrien
Directrice générale
Épilepsie Montréal

Catherine-Marie Vanasse
Neuropsychologue
CHU Sainte-Justine

Michel Vanasse
Neurologue
CHU Sainte-Justine

TABLE DES MATIÈRES

Préface

Il nous fait plaisir de vous présenter ce livre sur l'épilepsie, fruit du travail de collaboration de tous les membres du Service de neurologie du CHU Sainte-Justine et de leurs collaborateurs à la Clinique d'épilepsie de l'hôpital. Bien que ce livre s'adresse aux parents d'enfants épileptiques, aux professionnels de la santé ou de l'éducation qui œuvrent auprès de ces enfants et aux patients plus âgés, il ne s'agit pas d'un ouvrage de simple vulgarisation. Nous avons plutôt essayé de présenter aux lecteurs, dans un langage simple, les données scientifiques, cliniques et psychosociales les plus récentes dans le domaine de l'épilepsie.

Cet ouvrage n'a pas la prétention d'être la seule source de référence dans le domaine de l'épilepsie chez l'enfant. Plusieurs équipes dans le monde travaillent auprès d'enfants épileptiques et chacune d'elles a sa façon de faire, un type de prise en charge particulier et une vision spécifique de ce que devraient être les soins et le soutien à donner aux patients et à leur famille. Notre livre vous présente la façon dont nous prenons soins des enfants à Sainte-Justine et comment nous essayons de continuellement améliorer notre compréhension de l'épilepsie.

Chaque chapitre traite d'un aspect particulier. Les chapitres peuvent donc se lire dans le désordre et le lecteur peut ne pas lire ceux qui ne l'intéressent pas. Le lecteur qui aura plutôt envie de lire l'ouvrage dans son entier trouvera par contre certaines répétitions, nécessaires pour la compréhension de chaque chapitre, mais qui ne devraient pas être gênantes.

Nous espérons que ce livre saura répondre aux questions que beaucoup se posent au sujet de l'épilepsie. Nous souhaitons surtout qu'il permette aux parents, aux patients et aux intervenants de démystifier l'épilepsie. De nos jours, l'épilepsie est encore trop souvent un symptôme dont les gens n'osent pas parler ouvertement. Avec cet ouvrage, nous aimerions faire tomber tous les préjugés négatifs qui entourent cette maladie et permettre aux enfants qui en sont atteints et à leur famille de vivre pleinement leur vie, sous le soleil.

Bonne lecture !

Anne Lortie

Première partie

LES ASPECTS MÉDICAUX

Chapitre 1

Notions générales sur l'épilepsie

Par Albert Larbrisseau et Michel Vanasse

Incidence et prévalence

Il n'existe pas de données épidémiologiques de l'épilepsie qui s'appliquent spécifiquement au Québec. Selon les données épidémiologiques fournies par l'Organisation mondiale de la santé (OMS), on évalue la prévalence de l'épilepsie à 8,2 cas par 1000 habitants. La prévalence est la proportion de la population qui souffre d'une maladie à un moment donné dans le temps. Comme la population du Québec est d'un peu plus de 7 500 000 habitants, on peut évaluer qu'environ 61 500 Québécois sont actuellement traités pour épilepsie. En France le nombre est de 500 000.

La prévalence de l'épilepsie sur la durée de vie, c'est-à-dire le nombre de personnes qui, au Québec, souffrent, ont souffert ou souffriront d'épilepsie, peut être évaluée à 125 000. La différence entre ces deux chiffres de prévalence (61 500/125 000) s'explique par le fait que s'il y a chaque année de nouveaux cas d'épilepsie (incidence), de nombreuses personnes qui en sont atteintes peuvent guérir.

L'incidence de l'épilepsie, c'est-à-dire le nombre de nouveaux cas diagnostiqués par année est d'environ 50 par 100 000 de population. Pour le Québec, cela signifie que chaque année on diagnostique 3750 nouveaux cas d'épilepsie.

On sait aussi que l'épilepsie est beaucoup plus fréquente chez les enfants et les personnes âgées. Les enfants épileptiques représentent environ la moitié des cas totaux d'épilepsie. À partir des statistiques de l'OMS, on peut donc calculer qu'il y chaque année environ 1875 nouveaux cas d'épilepsie diagnostiqués chez les enfants québécois, et qu'à l'heure actuelle 30 750 enfants sont traités pour épilepsie au Québec.

Les diverses manifestations épileptiques

Perte de conscience et convulsions

Comme on le verra à la lecture de ce livre, les manifestations épileptiques peuvent être très différentes d'une personne à l'autre. Il y quand même des points communs à tous les types d'épilepsie. Le premier est que les manifestations épileptiques sont soudaines, survenant comme « un coup de tonnerre dans un ciel bleu ». En médecine, on utilise le terme « paroxystiques » pour qualifier ces événements soudains. Les manifestations épileptiques sont aussi caractérisées par une perte (ou altération) de l'état de conscience ou des manifestations motrices. Le plus souvent, on observe les deux phénomènes lors d'une crise épileptique. Le terme « perte », et/ou « altération » de l'état de conscience veut dire que l'individu qui fait une crise d'épilepsie peut être comme absent ou confus ou, dans certains cas (crises tonico-cloniques généralisées qu'on désignait jadis par l'expression « crise de grand mal »), va présenter une perte complète de la conscience, accompagnée souvent d'une chute au sol.

Les mouvements anormaux qui accompagnent la perte ou l'altération de l'état de conscience peuvent être minimes (clignotement des yeux, petites secousses musculaires de la bouche ou des membres, etc.) comme on l'observe dans les crises d'absence (communément appelé « petit mal ») ou, au contraire, prendre la forme de mouvements violents et saccadés des membres comme on le voit dans les crises tonico-cloniques généralisées.

Si les crises épileptiques s'accompagnent d'une perte ou altération de la conscience et de mouvements anormaux, cela ne signifie pas que toutes les pertes de conscience et toutes les convulsions sont de nature épileptique. Il est donc important de distinguer l'épilepsie des autres causes de perte de conscience. C'est le rôle du médecin de procéder à un diagnostic différentiel en se basant sur la description la plus détaillée possible de l'événement critique et, au besoin, avec l'aide d'examens complémentaires tels l'électroencéphalogramme ou un enregistrement vidéo.

Les syncopes sont une cause fréquente de perte de conscience et sont secondaires à un ralentissement du rythme cardiaque avec, comme conséquence, une diminution de la perfusion, ou circulation sanguine, au niveau cérébral. Les syncopes peuvent survenir dans différentes circonstances mais sont souvent consécutives à une émotion ou à un traumatisme. Le cas le plus classique est celui d'une personne qui perd conscience lors d'une prise de sang (syncope vagale).

Les syncopes s'accompagnent parfois de brèves convulsions, mais il est généralement assez facile de différencier les syncopes convulsives des véritables manifestations épileptiques. Les syncopes sont précédées d'une sensation de malaise (sensation de chaleur, étourdissement, nausées, vision noire, rythme cardiaque anormal, sensation d'avoir la tête légère) alors que les crises épileptiques surviennent soudainement. De plus, la personne qui fait une syncope récupère rapidement un état de conscience normal après l'épisode, alors qu'après une crise convulsive, il y a souvent une période de somnolence ou de confusion plus ou moins prolongée (que l'on appelle la phase post-ictale). Enfin, il y a souvent une perte des urines ou des selles durant une crise épileptique, ce qui est exceptionnel lors d'une syncope.

Les convulsions fébriles représentent une autre cause de convulsion non épileptique chez le jeune enfant (moins de 5 ans). On évalue que de 3 à 5 % des enfants présenteront un épisode de convulsion causé par de la fièvre ou plus précisément par une augmentation rapide de la température. Dans certains cas, ces convulsons risquent de se répéter. Les manifestations sont les mêmes que celles que l'on observe dans l'épilepsie, mais les convulsions fébriles ne surviennent par définition que lorsque l'enfant fait de la fièvre, et disparaissent après l'âge de 5 ans.

Parmi les autres désordres paroxystiques qui ne sont pas de nature épileptique, mentionnons chez le nourrisson : les spasmes du sanglot (parfois accompagnés de brèves crises toniques et même tonico-cloniques) qui sont caractérisés par une perte de conscience qui survient chez le jeune enfant après qu'il ait été contrarié ou suite à un traumatisme mineur. Signalons aussi le ***spasmus nutans*** (mouvements répétés de la tête et des yeux) que l'on peut observer chez le nourrisson, des altérations de l'état de conscience en rapport avec des troubles métaboliques (hypoglycémie), des équivalents masturbatoires notés chez la petite fille. On peut aussi observer chez l'enfant et l'adolescent des troubles du sommeil tels les terreurs nocturnes, des tics qui sont des mouvements anormaux plus ou moins complexes et répétés mais sans perte de conscience, des états confusionnels comme on l'observe dans certaines formes de migraine, des pseudocrises de nature hystérique, des crises d'hyperventilation et, enfin, la narcolepsie.

Manifestations épileptiques générales

Les crises épileptiques sont consécutives à des décharges électriques anormales, paroxystiques et répétitives qui proviennent du cortex cérébral et interfèrent avec diverses fonctions du système nerveux central. Le diagnostic repose avant tout sur la description la plus fidèle et complète possible de l'événement paroxystique. Les manifestations épileptiques sont très variées. Certaines personnes présentent toujours le même type de crises; pour d'autres, elles peuvent être différentes, parfois prédominantes durant l'éveil, parfois durant le sommeil, pouvant aussi, avec l'âge, évoluer dans leurs manifestations descriptives.

Voici quelques exemples de manifestations épileptiques:

- *Crise tonico-clonique généralisée ou crise dite communément de grand mal*

  Il s'agit de la forme la plus facilement identifiable des crises épileptiques. La crise débute brusquement par une altération de l'état de conscience associée à une attitude d'hypertonie en extension du tronc et des membres, suivie rapidement de mouvements tonico-cloniques; ceux-ci consistent en une alternance de flexions brusques, synchrones et symétriques des quatre membres, entrecoupées de courtes périodes de relâchement musculaire. Au cours de la crise, on peut observer une contraction plus ou moins prolongée des muscles respiratoires avec accumulation de sécrétions dans les voies respiratoires, des troubles neuro-végétatifs (accélération du rythme cardiaque, de la tension artérielle, dilatation pupillaire, sudation profuse) et, souvent vers la fin de la crise, un relâchement sphinctérien avec incontinence urinaire et, plus rarement, fécale. Une telle crise, en général, dure moins d'une dizaine de minutes. Si elle persiste au-delà de 20 minutes, on parle alors d'un *status epilepticus* qui constitue une urgence médicale exigeant des traitements dans les plus brefs délais, car il y a risque de séquelles neurologiques permanentes en raison d'un manque d'oxygénation cérébrale. Une fois la crise terminée, le patient est somnolent, ou s'endort, et il présente souvent un état confusionnel qui peut durer plusieurs minutes ; il peut se plaindre de céphalées, de fatigue extrême et de douleurs musculo-squelettiques.

- *Crise partielle (ou focale) simple*

  Dans le cas d'une crise motrice focale, les mouvements convulsifs n'affectent qu'une partie du corps (un seul membre, un hémicorps ou même le visage). Le patient demeure conscient et peut même observer et décrire sa crise. Parfois les mouvements convulsifs finissent par impliquer tout le corps et s'accompagnent d'une perte de conscience ; cela définit une crise épileptique partielle, secondairement généralisée.

  Au lieu d'impliquer l'aire motrice cérébrale, il est possible que le foyer épileptique provienne d'un cortex sensoriel. Dans ce cas, le patient pourra éprouver, par exemple, soit des phénomènes cutanés tels des engourdissements (dysesthésie) impliquant une partie du corps, soit des phénomènes visuels avec déformation de l'image visuelle (*flashs* lumineux, hallucinations visuelles, etc.) ou d'autres manifestations sensorielles.

- *Absences (communément appelé « petit mal »)*

  Il s'agit d'une soudaine suspension de l'état de conscience, associée à une fixité du regard, sans mouvement associé, si ce n'est parfois des clignotements des yeux. Les crises sont de courte durée (de 5 à 30 secondes) et peuvent devenir très fréquentes (jusqu'à 100 et plus par jour).

- *Crises partielles complexes (ou psycho-motrices)*

  De telles crises proviennent habituellement du lobe temporal. Elles peuvent être précédées d'une aura, c'est-à-dire d'une impression subjective prémonitoire, de nature variée, que le patient reconnaît comme étant un indice ou avertissement d'un début de crise. Les caractéristiques de cette aura peuvent être somato-sensorielles, visuelles, auditives, gustatives ou olfactives, comportant même parfois des impressions de nature affective, intellectuelle ou dysmnésique (impression de déjà vu ou de déjà entendu). L'aura est suivie d'une altération de l'état de conscience, de durée variable, souvent associée à divers automatismes. Chez le jeune enfant, on peut noter des mouvements de mâchonnement ou de succion, des grimaces ou des gestes brusques. Chez l'enfant plus âgé, de tels mouvements peuvent être plus précis mais inappropriés (manipulation des vêtements, gestes stéréotypés, marche aveugle, etc.). Une telle crise se termine par une phase post-critique souvent caractérisée par un état confusionnel. Parfois, lorsqu'il y a généralisation secondaire, la crise partielle peut se poursuivre par une crise tonico-clonique.

Certaines formes d'épilepsie sont caractéristiques ou plus fréquemment rencontrées à des âges spécifiques. Par exemple, les spasmes infantiles n'existent que chez le nourrisson. Le petit mal/absences est typique de l'enfant qui fréquente l'école primaire. Les crises tonico-cloniques survenant au réveil, souvent associées à des absences ou des myoclonies, sont propres au jeune adolescent. Le sexe peut aussi être un facteur déterminant. S'il est vrai que, règle générale, on note une plus grande incidence d'épilepsie chez les garçons, dans cette forme d'épilepsie idiopathique qu'est le petit mal/absences, on observe une incidence plus élevée chez les filles.

Épilepsie idiopathique vs symptomatique

Une fois le diagnostic d'épilepsie posé, le médecin tentera avant tout d'établir s'il s'agit d'une épilepsie idiopathique ou symptomatique ; cette décision est importante car elle a des conséquences directes sur le type de traitement à donner, sur la nécessité ou non, outre l'électroencéphalogramme, d'une investigation plus poussée et sur le pronostic à long terme.

Voici une énumération des caractéristiques qui aident à distinguer une forme d'épilepsie de l'autre :

- *Épilepsie idiopathique (ou primaire) :*
  - intelligence et développement psychomoteur normaux ;

- caractère souvent familial;
- début à l'âge scolaire dans la majorité des cas;
- absence de cause organique reconnaissable;
- examen neurologique normal;
- activité épileptique caractéristique sur l'électro-encéphalogramme (EEG);
- décharges épileptiques induites par l'hyperventilation ou la stimulation lumineuse intermittente, lorsqu'il s'agit d'une épilepsie généralisée;
- excellente réponse au traitement;
- pronostic à long terme favorable.

• *Épilepsie symptomatique (ou secondaire)*

Cette forme d'épilepsie est secondaire à divers types d'agression cérébrale; ses caractéristiques principales sont les suivantes:

- histoire familiale souvent négative;
- présence d'une cause organique décelable au moyen de l'histoire, de l'examen physique et neurologique et des études complémentaires (entre autre l'imagerie cérébrale);
- début à tout âge, le plus souvent dès les premiers mois ou les premières années de vie;
- crises épileptiques variées;
- intelligence inférieure à la normale ou retard dans le développement psychomoteur;
- foyers épileptiques focalisés à l'EEG;
- réponse souvent insatisfaisante au traitement;
- pronostic à long terme plus réservé.

Pronostic général et durée de traitement

Le pronostic de l'épilepsie chez l'enfant est généralement favorable. On peut obtenir un contrôle complet des crises épileptiques chez environ 70 % des enfants et, pour la majorité d'entre eux, il sera possible de cesser la médication après un minimum de deux ans sans crises. On peut généralement considérer que les enfants ou adolescents atteints d'une épilepsie primaire ou idiopathique ont un meilleur pronostic que ceux qui sont atteints d'une épilepsie symptomatique. Par ailleurs, plusieurs facteurs déterminent la rémission ou la guérison de l'épilepsie. En premier lieu, le type d'épilepsie peut déterminer un pronostic prévisible ; par exemple, pour le petit mal/absences, au moment de la puberté, un peu plus de la moitié des patients sont guéris ; dans cette forme d'épilepsie partielle idiopathique qu'est l'épilepsie rolandique bénigne, la grande majorité sont aussi guéris à l'adolescence. Par contre, dans une autre forme d'épilepsie idiopathique généralisée, qu'on appelle l'épilepsie myoclonique de Janz, même si la réponse au traitement est excellente, le médicament doit être maintenu de façon indéfinie.

Un autre facteur déterminant du pronostic est la cause (l'étiologie) de l'épilepsie, lorsqu'elle est symptomatique. Cette étiologie détermine souvent l'importance de l'atteinte neurologique telle qu'observée par l'état clinique et les examens complémentaires, et la réponse au traitement. On considère comme éléments de mauvais pronostic les facteurs suivants :

- sévérité de l'atteinte neurologique ;
- précocité des crises épileptiques ;
- délai prolongé et/ou échec au traitement anti-épileptique (avec essais de plusieurs molécules différentes) ;
- rechute précoce après sevrage du traitement.

La durée du traitement est aussi en fonction du pronostic prévisible. Comme nous le mentionnions plus haut, en règle générale, dans la plupart des cas d'épilepsie idiopathique, une tentative de sevrage sera faite après un traitement efficace sans aucune manifestation épileptique pendant deux ans.

Dans les autres cas, on tiendra compte des facteurs de risque de récidive suivants :

- examen neurologique anormal ;
- déficience intellectuelle ;
- crises épileptiques de longue durée avant le contrôle pharmacologique ;

- crises partielles ;
- crises variées.

Les deux facteurs de risques suivants ne sont pas acceptés par tous :

- persistance d'une activité épileptique sur l'EEG ;
- crises ayant débutées avant l'âge de 2 ans.

Impact sur la qualité de vie, le développement et l'apprentissage

Chez l'enfant épileptique, plusieurs facteurs auront un impact déterminant sur le niveau d'intelligence, le rendement scolaire et les risques de troubles du comportement et socio-affectifs. Pour cela, il faut tenir compte du type d'épilepsie et de son étiologie spécifique, du contrôle des crises et de la lourdeur du traitement. Même dans les meilleures conditions, un préjugé tenace envers l'épilepsie qu'entretient encore une partie de la population pourra engendrer de l'anxiété et une mauvaise image de soi.

Règle générale, un enfant qui souffre d'une épilepsie primaire bien contrôlée fonctionne à tout point de vue comme tout enfant normal. Par contre, si les crises épileptiques apparaissent précocement, si elles sont symptomatiques d'une lésion ou d'un désordre neuronal déterminé, si elles sont fréquentes ou prolongées et nécessitent une lourde médication anti-épileptique, une atteinte des fonctions cognitives est prévisible. Dans de telles situations, même si le niveau d'intelligence de l'enfant est normal, on peut observer des troubles d'apprentissage de degrés variés associés ou non à un déficit de l'attention avec ou sans hyperkinésie. Certaines études ont même rapportés que de 20 à 60 % des enfants épileptiques présentent un syndrome de déficit d'attention. Des comportements anormaux sont aussi plus fréquents : immaturité globale, agressivité, troubles de conduite, tendance opposante, etc. Dans les cas de crises d'épilepsie partielle complexe de longue évolution et mal contrôlées, on observe une incidence plus élevée de psychose et de schizophrénie.

Nonobstant ces considérations, on veillera à ce que l'enfant jouisse d'un mode vie le plus normal possible, tout en bénéficiant au besoin d'un encadrement psychologique, orthopédagogique ou social adapté. Les restrictions seront limitées au minimum : surveillance particulière pour la baignade, chambre non isolée durant le sommeil, interdiction des sports extrêmes ou de combat.

Pour un bon contrôle des crises, il est essentiel que la médication soit donnée régulièrement, telle que prescrite (compliance) ; il faut particulièrement tenir compte de cette consigne chez l'enfant plus âgé et l'adolescent.

Chapitre 2

Les types d'épilepsie

▼

Par Anne Lortie

Notions générales d'anatomie et d'EEG

Une crise convulsive est un phénomène qui prend naissance dans le cortex cérébral. Le cortex cérébral, ou substance grise, se situe à la périphérie du cerveau. Il est constitué de centaines de milliards de cellules cérébrales, ou neurones, qui communiquent entre elles par des axones. Ces axones permettent la connexion entre des cellules situées dans le voisinage ou à distance les unes des autres et peuvent donc couvrir de grandes distances dans le cerveau. La substance blanche est la région du cerveau où se concentrent les axones. Elle se trouve sous le cortex et s'étend d'arrière en avant, des lobes occipitaux aux lobes frontaux, ceci de façon symétrique dans chacun des hémisphères cérébraux. La substance blanche contient des faisceaux, qui sont des regroupements d'axones qui proviennent tous du même endroit et se rendent tous au même endroit également. Un de ces faisceaux permet la communication d'un hémisphère cérébral à l'autre: c'est le corps calleux, qui se situe au dessus des ventricules latéraux. Il permet la connexion de grandes régions de chaque lobe cérébral avec les régions correspondantes controlatérales.

Les lobes cérébraux sont les divisions anatomiques du cortex cérébral et de la substance blanche sous-jacente. Il y a quatre lobes dans chaque hémisphère: les lobes frontal, temporal, pariétal et occipital. Ces lobes cérébraux ont également des fonctions propres qui sont parfois latéralisées, c'est-à-dire qu'elles sont localisées dans l'un des deux hémisphères, droit ou gauche, selon le cas. Ainsi, chez l'individu droitier, la zone du langage se situe dans l'hémisphère gauche. La compréhension du langage, ou langage réceptif, provient de la zone de Wernicke, à cheval sur le lobe temporal postérieur et le lobe pariétal

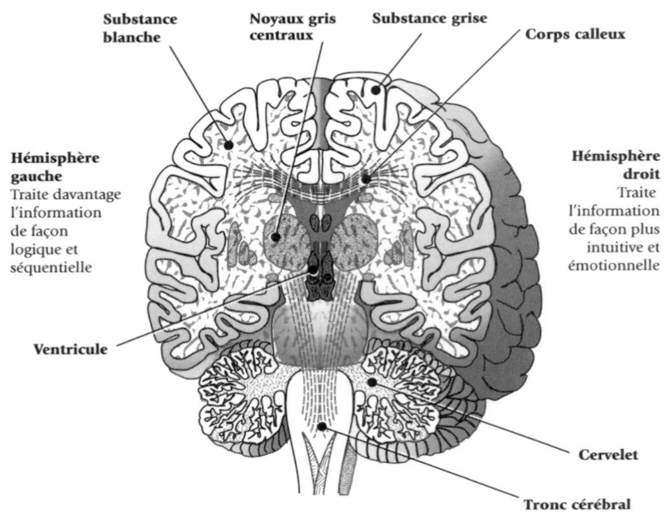

Figure 1
Hémisphères cérébraux et anatomie du cerveau.

gauche alors que le langage expressif se situe dans la partie inférieure et postérieure du lobe frontal gauche ou aire de Broca. Cette division du cerveau en régions fonctionnelles est très importante lorsqu'il s'agit de diagnostiquer une épilepsie.

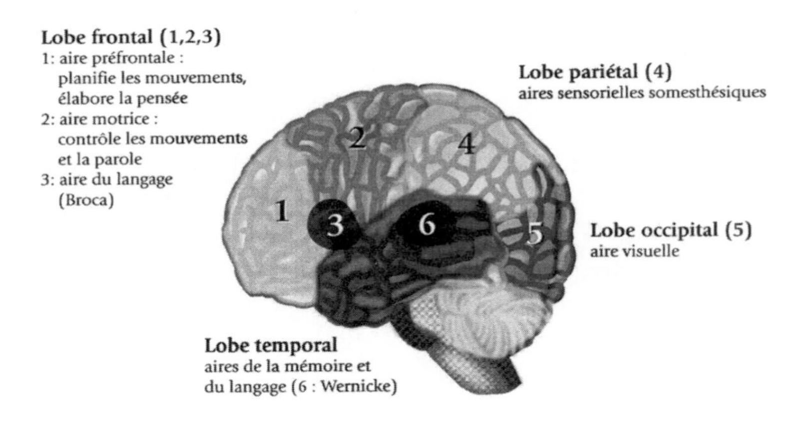

Figure 2
Les lobes du cerveau et leurs fonctions principales.

Comme nous le verrons plus tard, le fait que chaque région du cerveau ait un rôle fonctionnel propre permet souvent de localiser le point de départ d'une crise selon les symptômes présentés par le patient.

Cette localisation repose aussi sur l'électroencéphalogramme (EEG). Ce dernier permet d'enregistrer les fluctuations des potentiels électriques générés par des neurones situés dans différentes régions du cerveau. En d'autres termes, il permet d'enregistrer l'activité cérébrale. Cependant, en raison de limites techniques, il ne permet d'évaluer cette activité que dans certaines régions du cerveau, à savoir la superficie du cortex cérébral dans les différents lobes. Il ne permet pas de visualiser l'activité cérébrale dans les couches plus profondes du cortex ou dans les régions plus profondes du cerveau.

Pour obtenir un EEG, on place sur la tête du patient 21 électrodes, qui sont réparties sur les différents lobes du cerveau et sur la ligne médiane. Ces électrodes sont installées avec une pâte et ne causent pas d'inconfort au patient.

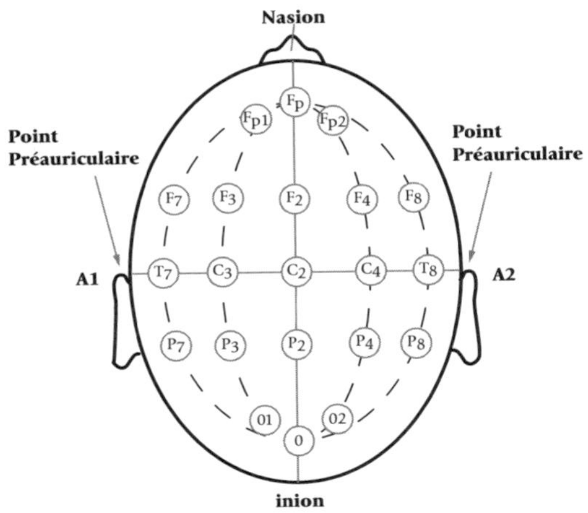

Figure 3
Emplacement et numéros des électrodes selon le système 10-20.

L'enregistrement est fait pendant 20 à 30 minutes. On demande au patient de rester calme, si possible immobile. De façon régulière on lui demande d'ouvrir ou de fermer les yeux.

S'il est assez âgé, on lui demande également de respirer profondément (hyperventilation) durant 2 à 5 minutes. On enregistre également la réactivité de son activité cérébrale lorsqu'on le stimule avec une lumière qui fluctue à des fréquences variables (stimulation lumineuse intermittente ou SLI). Ces deux manœuvres ont pour but de favoriser l'apparition et l'enregistrement de décharges épileptiques. Le tracé EEG permet de qualifier l'activité cérébrale, de visualiser sa réactivité à certains phénomènes (ouverture, fermeture des yeux, hyperventilation...) et permet également de mettre en évidence et de préciser le type d'activité épileptique du patient, si elle existe. L'activité épileptique se manifeste sous forme d'éléments pointus, qui se distinguent clairement de l'activité cérébrale de base. Ces pointes peuvent être isolées ou regroupées et s'accompagnent fréquemment d'une onde lente qui suit la pointe. Par ailleurs, l'activité épileptique peut être généralisée ou focale. Si elle est focale, l'EEG nous permet d'en déterminer approximativement l'origine.

L'activité épileptique retrouvée sur l'EEG doit être analysée en fonction des manifestations cliniques paroxystiques du

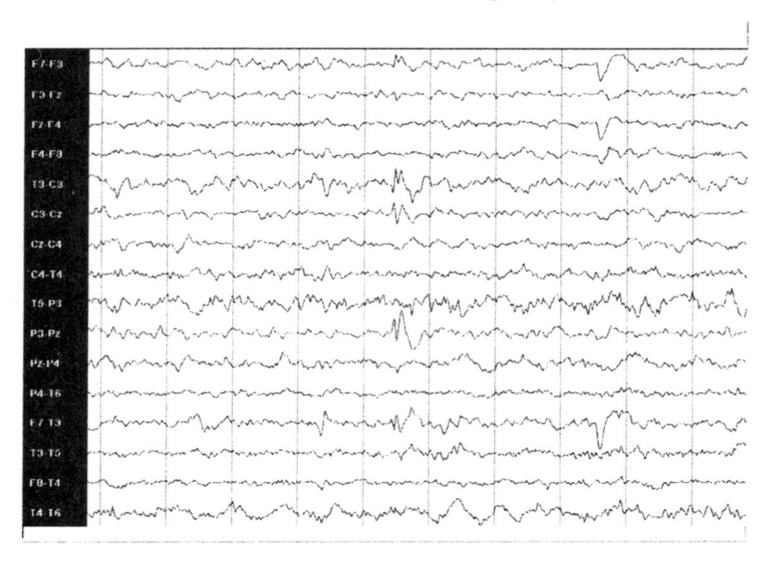

Figure 4

Tracé électroencéphalographique (EEG) mettant en évidence une activité épileptique focale en central gauche (C_3) et pariétale gauche (P_3), diffusant légèrement en fronto-temporal gauche (F_7-T_3).

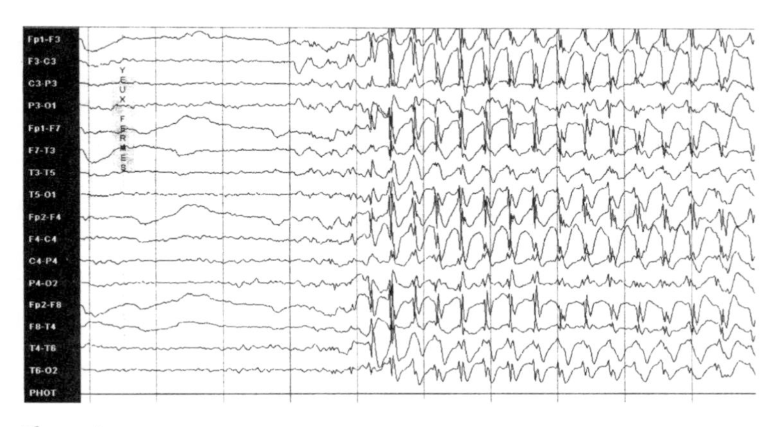

Figure 5
Tracé électroencéphalographique mettant en évidence une activité épileptique généralisée de pointes-ondes de 3Hz.

---

patient. Ce sont ces manifestations cliniques qui permettent de préciser le type de crises que présente le patient. Ces crises sont principalement de deux types : crises partielles (focales ou localisées) ou crises généralisées. Grossièrement, la distinction entre les deux types de crises repose sur la préservation, même incomplète, d'un état de conscience dans les crises partielles, alors qu'il y a perte de conscience dans les crises généralisées.

En 1981, la Ligue internationale contre l'épilepsie (LICE) a précisé davantage cette classification. Dans les crises partielles, on retrouve chez le patient des symptômes ictaux (c'est-à-dire survenant au décours de la crise) permettant de juger que la crise convulsive a un point de départ focal sur le cortex. On parle d'une *crise partielle simple* si la crise est brève et ne s'accompagne d'aucune modification de l'état de conscience et d'une *crise partielle complexe* s'il y a altération de l'état de conscience. Les crises partielles simples peuvent évoluer vers une crise partielle complexe, qui peut elle-même évoluer vers une crise généralisée. Les crises partielles ont des manifestations très variables selon la région corticale impliquée dans le processus épileptique. Elles s'accompagnent fréquemment sur l'EEG d'une activité épileptique focale (ou localisée) qui, en association avec la description des symptômes cliniques, permet de présumer de la région cérébrale impliquée.

Les *crises généralisées* ont aussi des manifestations cliniques variées, mais qui ont toutes la particularité d'impliquer tout le corps du patient. Elles s'accompagnent en général d'une perte de conscience, sauf pour les myoclonies et certaines crises toniques et atoniques pendant lesquelles la conscience est préservée. Sur l'EEG, on retrouve une activité épileptique qui implique tout le cortex.

Tableau 1

Classification des crises épileptiques

*** Crises partielles**

A. Crises partielles simples
   1. avec signes moteurs
   2. avec symptômes somatosensoriels ou sensoriels spéciaux
   3. avec symptômes ou signes autonomiques
   4. avec symptômes psychiques

B. Crises partielles complexes
   1. partielle simple suivie d'une altération de l'état de conscience
      a. sans autre manifestation
      b. avec caractéristiques de A. 1-4
      c. avec automatismes
   2. avec une altération de l'état de conscience
      a. sans autre manifestation
      b. avec caractéristiques de A. 1-4
      c. avec automatismes

C. Crises partielles secondairement généralisées

*** Crises généralisées (convulsives ou non convulsives)**

A. Absences
   1. Typiques
   2. Atypiques

B. Myocloniques

C. Cloniques

D. Toniques

E. Tonico-cloniques

F. Atoniques

*** Crises non classées**

La détermination du type de crises que présente un patient n'est pas suffisante cependant pour établir le pronostic de son épilepsie. Ainsi, deux patients peuvent avoir le même type de crises et pourtant évoluer de façon très différente. L'évolution des individus atteints d'épilepsie peut donc être très variable selon les antécédents du patient, la présence ou non d'anomalies à l'examen neurologique, le type de crises convulsives et le type d'anomalies notées sur l'EEG. Les patients ayant des tableaux cliniques similaires ont généralement une évolution relativement homogène.

En 1989, pour permettre une meilleure compréhension de ces différents tableaux cliniques, la LICE a établi une classification des syndromes épileptiques. Ceux-ci sont définis selon le type de crises, unique ou varié, les causes de l'épilepsie, les caractéristiques de l'EEG et l'état neurologique du patient. L'identification d'un syndrome chez un patient permet d'avoir une meilleure idée du pronostic de son épilepsie. De plus, elle permet de mieux choisir le traitement puisque l'on sait que certains syndromes peuvent être aggravés par certains médicaments antiépileptiques et, qu'à l'inverse, certains syndromes répondent mieux à des médicaments spécifiques. Cette classification a ses limites : il faut parfois attendre plusieurs années avant de pouvoir préciser de quel syndrome est atteint le patient (ceci parce que les crises et l'EEG peuvent changer) ; par ailleurs, plusieurs patients n'auront jamais un tableau clinique assez typique pour pouvoir être caractérisé selon la classification syndromique.

TABLEAU 2

Classification des épilepsies et des syndromes épileptiques (simplifiée)

1. Syndromes épileptiques et épilepsies localisées

1.1. Idiopathiques
Épilepsie rolandique bénigne de l'enfant
Épilepsie occipitale bénigne
Épilepsie à la lecture

1.2. Symptomatiques
Épilepsie partielle selon le lobe impliqué, dont crises partielles complexes
Épilepsie partielle continue de l'enfant

1.3. Cryptogéniques (...)

2. Syndromes épileptiques et épilepsies généralisées
- 2.1. Idiopathiques
  - Convulsions néonatales bénignes familiales
  - Convulsions néonatales bénignes
  - Épilepsie myoclonique bénigne du nourrisson
  - Épilepsie absence de l'enfance
  - Épilepsie absence juvénile
  - Épilepsie myoclonique juvénile
- 2.2. Cryptogéniques et/ou symptomatiques
  - Syndrome de West (spasmes infantiles)
- 2.3. Symptomatiques
  - 2.3.1. Étiologie non spécifique
    - Encéphalopathie myoclonique précoce
    - Encéphalopathie épileptique infantile précoce avec suppression-bursts
  - 2.3.2. Syndromes spécifiques

3. Syndromes douteux quant à leur origine partielle ou généralisée
- 3.1. Avec crises partielles et généralisées
  - Crises néonatales
  - Épilepsie myoclonique sévère de l'enfance
  - Épilepsie avec activité pointe-onde continue durant sommeil profond
  - Aphasie épileptique acquise (syndrome de Landau-Kleffner)
- 3.2. Avec caractéristiques partielles et généralisées équivoques

4. Syndromes spéciaux
- 4.1. Crises de situation
  - Convulsions hyperthermiques
  - Convulsions survenant uniquement lors d'événements métaboliques ou toxiques
- 4.2. Crises ou états de mal isolés

Comme le démontre le tableau 2, la classification des syndromes repose d'abord sur le type de crises épileptiques, à savoir focalisées ou généralisées, puis sur l'étiologie. Lorsque l'étiologie est bien connue, on parle d'une *épilepsie symptomatique*. Lorsque aucune cause n'est trouvée, que le développement, l'examen clinique et l'investigation radiologique par l'imagerie par résonance magnétique (IRM), ou le CT Scan cérébral, sont normaux, on parle d'une *épilepsie idiopathique*. De plus en plus, on croit que les épilepsies idiopathiques sont d'origine génétique quoique pour le moment très peu de gènes ont été identifiés. On parle finalement d'une *épilepsie cryptogénique* lorsque l'examen ou les antécédents du patient laissent suspecter qu'il existe une lésion cérébrale responsable de l'épilepsie, mais que l'investigation radiologique est négative.

Comme on peut le voir dans le tableau 2, plusieurs des syndromes épileptiques sont uniquement rencontrés pendant l'enfance, de la période périnatale à l'adolescence. Il nous est impossible de revoir ici tous ces syndromes, mais nous discuterons brièvement de certains d'entre eux, qui sont plus fréquents ou mieux définis.

Épilepsies partielles

Idiopathiques

Épilepsie rolandique (centro-temporale) bénigne

Cette épilepsie représente 24 % de tous les cas d'épilepsie entre l'âge de 5 et 14 ans. Il s'agit d'une épilepsie survenant entre l'âge de 2 et 13 ans; 80 % des enfants ont leur première crise entre l'âge de 5 et 10 ans et l'épilepsie disparaît avant l'âge de 16 ans. Les crises sont favorisées par le sommeil et plus de 50 % des enfants n'ont des crises que lorsqu'ils dorment (de jour ou de nuit) ou qui surviennent très rapidement au réveil. Les crises se manifestent par des mouvements, des engourdissements et/ou de l'hypersalivation d'un côté de visage. Elles peuvent ensuite se propager au bras et/ou à la jambe du même côté. Elles peuvent également se généraliser de façon secondaire. Ces crises surviennent chez des enfants qui sont par ailleurs neurologiquement normaux. Certains enfants peuvent avoir des problèmes de perception visuelle, de mémoire à court terme et de comportement, ce que l'on observe essentiellement chez les enfants dont l'EEG montre beaucoup de pointes en interictal. Lorsque l'EEG est typique (pointes en centro-temporal, rythme cérébral normal, accentuation des pointes à la somnolence et au sommeil léger), que la sémiologie des crises est caractéristique et que l'état neurologique de l'enfant est normal, aucune investigation supplémentaire n'est nécessaire. Mais si l'évolution est atypique, il faut alors demander une imagerie par résonance magnétique (IRM) ou un CT Scan, car de rares cas d'anomalies (dysplasies) corticales ont été rapportés chez des enfants qui avaient par ailleurs un tableau clinique typique d'une épilepsie rolandique. Sinon, les enfants avec une épilepsie rolandique ont un excellent pronostic et jusqu'à 10 % d'entre eux ne font qu'une seule crise. En général, les crises sont peu fréquentes et peuvent même ne pas être traitées. Même pour les 20 % dont le contrôle des crises plus fréquentes est plus difficile, le pronostic demeure excellent.

Épilepsie occipitale bénigne

Le tableau de l'épilepsie occipitale bénigne est un peu plus hétérogène et on distingue deux groupes d'enfants parmi les patients ayant ce syndrome. Le premier groupe est constitué d'enfants plus jeunes, le pic d'incidence étant situé entre l'âge de 4 et 5 ans. Les crises sont principalement autonomiques et consistent en vomissement. Elles s'accompagnent souvent de déviation du regard et parfois d'altération prolongée de l'état de conscience. Dans plus de 2/3 des cas, les crises sont nocturnes et dans 1/3 des cas elles peuvent évoluer vers des crises motrices unilatérales. Un tiers des patients ne présenteront qu'un seul épisode, sans récidive par la suite.

Dans le deuxième groupe d'enfants, le début des crises est un peu plus tardif, soit autour de 8 ans. Les crises sont plus souvent diurnes et se manifestent par des phénomènes visuels sous formes de phosphènes (scintillements) de disques de couleur, d'amaurose (perte transitoire de la vision) ou d'illusions visuelles. Environ 1/3 des patients présentent des phénomènes moteurs unilatéraux et 10 à 20 % évoluent vers une crise partielle complexe ou une crise secondairement généralisée. La crise se termine souvent par une céphalée importante et des vomissements.

Dans ce syndrome, l'EEG met en évidence des pointes dans la région occipitale, qui sont souvent mais pas toujours bloquées par l'ouverture des yeux. Elles sont augmentées par le sommeil dans le premier groupe et par la SLI dans le deuxième. Tout comme pour le syndrome d'épilepsie rolandique bénigne, l'imagerie n'est pas indiquée d'emblée si le tableau clinique est clair. Cependant, la moindre atypie clinique ou électrophysiologique devrait inciter à faire un CT Scan cérébral ou une imagerie par résonance magnétique (IRM).

Symptomatiques

Crises partielles

La symptomatologie des crises partielles, simples ou complexes, est directement reliée à la localisation du foyer épileptique. L'étiologie spécifique de l'épilepsie ne modifie pas vraiment cette symptomatologie, sauf pour certains aspects comme la fréquence des crises. Par exemple, la fréquence des crises est plus élevée si l'épilepsie est secondaire à une dysplasie corticale ou un abcès cérébral. La réponse aux antiépileptiques peut également être variable, les crises épileptiques secondaires à une dysplasie corticale, par exemple, répondent moins bien au traitement médical. En analysant de façon détaillée les symptômes rapportés par le patient ou son entourage, on peut présumer de la région d'où origine l'activité épileptique. Il est impossible de revoir ici tous les symptômes selon la localisation du foyer. On peut cependant en donner les grandes lignes. Les crises provenant du lobe frontal et du lobe temporal sont plus souvent des crises partielles complexes que les crises provenant du lobe pariétal ou occipital. Elles ont des symptômes positifs ou négatifs, alors que les crises pariétales ou occipitales ne se manifestent généralement que par des symptômes positifs. Les crises d'origine frontale sont souvent très fréquentes, le plus souvent nocturnes. Les crises temporales sont souvent précédées d'une aura (symptôme très précoce, directement relié à la localisation du foyer et qui précède les autres symptômes plus élaborés) et s'accompagnent d'automatismes. Les auras les plus fréquentes sont un malaise digestif, une sensation de peur ou des hallucinations olfactives ou auditives. Les automatismes impliquent souvent des mouvements de la bouche et/ou la gorge (mâchonner, avaler) ou des membres supérieurs, unis ou bilatéraux.

Un type d'épilepsie temporale mérite une description plus détaillée. Il s'agit de l'épilepsie temporale secondaire à une sclérose mésiale temporale.

Épilepsie mesio-temporale (EMT)

Parmi les causes d'épilepsie du lobe temporal, on retrouve très fréquemment, soit à l'IRM soit à la pathologie post-opératoire, une sclérose mésiale de l'hippocampe. L'hippocampe est une région très bien circonscrite du lobe temporal, située dans sa partie interne ou mésiale. C'est une structure dont les cellules ont un fort potentiel épileptogène et c'est pour cette raison qu'une très grande partie des travaux de recherche fondamentale porte sur cette structure (voir le chapitre 7). On parle de sclérose mésiale en raison de l'aspect que prend l'hippocampe lorsqu'il est sujet à des changements histologiques secondaires à l'épilepsie. Il devient atrophique et induré et ces changements sont visibles sur l'IRM. L'association de crises cliniques provenant de la région mésiale de l'hippocampe, d'une anomalie dans ces mêmes régions sur l'IRM et de décharges épileptiques à EEG provenant de la région temporale antérieure et moyenne sont les signes diagnostiques d'une épilepsie mésio-temporale (EMT). Cette épilepsie est fréquemment associée à des convulsions fébriles (CF) prolongées ou un autre type d'insulte (anoxie, traumatisme) survenus avant l'âge de 4 ans.

La première crise est généralement une crise généralisée ou une crise partielle complexe, souvent fébrile. Les crises subséquentes sont facilement contrôlées par la médication antiépileptique, puis, vers l'adolescence, après une période de bon contrôle, voire même après l'arrêt de la médication, les crises convulsives récidivent et sont alors rebelles au traitement. Il s'agit le plus souvent de crises débutant par une aura digestive, soit une sensation épigastrique ascendante. Ceci s'accompagne de peur ou d'anxiété. Il peut également y avoir des sensations de déjà vécu ou des phénomènes végétatifs (rougeur, pâleur, dilatation des yeux ou mydriase, tachycardie, etc.). Ensuite, le patient peut avoir un regard vague, des automatismes de mâchonnements ou manuels associés à une altération de l'état de conscience. Les crises durent en moyenne de 1 à 2 minutes, se généralisent rarement et sont suivies d'une période de confusion postcritique.

Le rôle des convulsions fébriles (CF) complexes dans l'installation de ce syndrome est très discuté. Une histoire de convulsions fébriles complexes est fréquemment retrouvée dans les antécédents des patients adultes avec EMT mais il est difficile d'affirmer si elles en sont la cause ou si elles surviennent simplement plus facilement chez ces patients avec sclérose mésiale. Chez l'enfant avec un tableau d'EMT, le rôle causal des CF complexes est encore plus discuté. En effet, les enfants avec EMT ont le plus souvent une « double pathologie » : en plus de la sclérose mésiale, on retrouve aussi une autre lésion au niveau cérébral. La sclérose mésiale pourrait dans ces cas-là être plutôt secondaire à la deuxième lésion qu'aux CF complexes. Cette épilepsie est rebelle au traitement médical et nécessite le plus souvent une cure chirurgicale.

Épilepsie partielle continue

Ce type d'épilepsie se caractérise par des secousses plus ou moins rythmiques et continues, touchant un ou plusieurs groupes musculaires, ceci pendant des jours, des semaines ou des mois. L'étiologie de cette épilepsie est variable et comprend des lésions tumorales, infectieuses, vasculaires, métaboliques ou dysplasiques. Une cause est cependant spécifique aux enfants, il s'agit de l'encéphalite de Rasmussen. La première série rapportée de patients atteints de ce syndrome vient de l'Institut neurologique de Montréal, où le Dr Rasmussen travaillait comme neurochirurgien. Selon cette série de 48 cas, les crises débutent entre l'âge de 1 et 10 ans, le plus souvent autour de l'âge de 5 ans. Les premières crises sont souvent des crises tonico-cloniques généralisées, entraînant parfois un état de mal épileptique (20 %). Il peut s'agir également de crises partielles simples motrices (26 %) ou complexes (26 %). Par la suite, 77 % des enfants développent des crises partielles motrices et 56 % ont une épilepsie partielle continue. Il s'agit malheureusement de crises rebelles aux antiépileptiques habituels, et ce n'est qu'avec le temps, souvent après plusieurs années, que les crises épileptiques vont disparaître. Malheureusement, cette épilepsie incontrôlable entraîne l'installation d'une hémiparésie progressive du côté impliqué dans les convulsions, hémiparésie qui résulte d'une atrophie hémisphérique controlatérale progressive, comme on peut le voir sur le CT Scan et l'IRM. En parallèle avec cette hémiparésie, on observe une détérioration cognitive chez 85 % des patients.

L'étiologie de l'encéphalite chronique de Rasmussen est généralement attribuée à une réaction auto-immune suite à un processus infectieux. La majorité des enfants ont une histoire d'infection virale, surtout des voies respiratoires supérieures, dans le mois précédant la première crise convulsive. L'anatomopathologie met en évidence une réaction inflammatoire importante, en particulier en périphérie des vaisseaux sanguins. Finalement, chez les patients dont la maladie est active, on retrouve la présence d'auto-anticorps anti GluR3, qui se lieraient aux récepteurs GluR3 des cellules neuronales, entraînant ainsi un tableau d'épilepsie rebelle. Tel que mentionné, les crises épileptiques du syndrome de Rasmussen ne répondent pas aux antiépileptiques habituels. Pour cette raison, et surtout à cause de l'étiologie auto-immune présumée, d'autres traitements ont été proposés. Il existe différents protocoles qui incluent en général l'administration de stéroïdes à hautes doses, des immunoglobulines ou des échanges plasmatiques. Ces traitements sont surtout efficaces lorsque la maladie est encore très active. Cependant, bien qu'ils semblent modifier le cours de la maladie, ils n'en modifient pas l'évolution finale. Seule la chirurgie, soit l'hémisphérotomie fonctionnelle, permet de contrôler les crises et de prévenir la détérioration cognitive. Malheureusement, elle entraîne obligatoirement une hémiparésie controlatérale et une perte de l'utilisation fonctionnelle de la main. Encore aujourd'hui, le moment de faire cette hémisphérotomie est discuté. Doit-on attendre que l'hémiparésie soit complète, au risque de voir une atteinte cognitive importante s'installer ? Ou doit-on plutôt préserver l'aspect cognitif et opérer avant que le déficit moteur n'apparaisse spontanément ? Le moment de la chirurgie est encore plus litigieux lorsque l'hémisphère impliqué est l'hémisphère dominant, c'est-à-dire celui qui est responsable du langage.

Épilepsies généralisées

Idiopathiques (EGI)

Convulsions néonatales bénignes, familiales et non familiales

Les convulsions familiales bénignes (CNFB) ont fait l'objet d'études et de plusieurs publications depuis 1998, ceci en raison des avancées génétiques et physiopathologiques. Cliniquement, il s'agit de convulsions débutant au troisième jour de vie, rarement plus tardivement. Il s'agit de crises toniques, généralisées, mais plus marquées d'un côté, ce côté étant variable d'une crise à l'autre. Puis apparaissent des phénomènes végétatifs (tachycardie, apnée) et des manifestations motrices cloniques, unies ou bilatérales, symétriques ou non. L'enfant demeure normal entre les crises. Les crises cessent en général dans le premier mois de vie, mais elles persistent rarement jusqu'à 10 mois. Le traitement est le phénobarbital ou l'acide valproïque, jusqu'à 3 ou 6 mois. Le développement demeure entièrement normal. Il existe cependant un risque d'épilepsie ultérieure, qui touche 11 % des enfants, mais il s'agit alors d'une épilepsie bénigne. Par définition, il existe une histoire familiale de crises convulsives en période périnatale. Il s'agit d'un diagnostic d'exclusion. Les causes anoxo-ischémique, métabolique, infectieuse et malformative cérébrale doivent être éliminées par un bilan biochimique, une ponction lombaire et une imagerie cérébrale si l'examen de l'enfant est anormal.

Les convulsions néonatales bénignes idiopathiques (CNBI) surviennent chez un enfant dont le bilan (voir plus haut) est normal. Il s'agit de crises toujours cloniques, souvent partielles, à bascule d'un hémicorps à l'autre, parfois apnéiques, jamais toniques (différentes des CNFB). Les crises débutent entre le premier et le dix-septième jour de vie, dans 90 % des cas entre le quatrième et le sixième jour et chez 97 % des enfants entre le troisième et le septième jour. Les crises durent de une à trois minutes et se répètent au point de créer un état de mal convulsif qui dure en moyenne 20 heures, mais qui peut durer de 2 heures à 3 jours. Avant la première crise, l'enfant est normal. Pendant les crises répétées, l'enfant devient somnolent et hypotonique, mais ceci peut être dû à la médication antiépileptique souvent administrée à haute dose en raison de la fréquence des crises. Cet état peut persister quelques jours après l'état de mal, mais par la suite l'enfant retrouve un état neurologique normal. Aucune médication ou combinaison de médications particulière ne semble plus efficace. Contrairement aux CNFB, le pronostic à plus long terme de CNBI n'est pas aussi clairement favorable. Plusieurs études font mention de différentes anomalies, épileptiques ou développementales chez les enfants suivis à plus long terme. Il s'agit donc d'enfants qui ont besoin d'un suivi particulier, au moins jusqu'à l'âge scolaire.

Absences

Les absences sont des crises généralisées, se manifestant par un arrêt brutal des activités motrices et langagières, une ouverture des yeux, une perte complète de conscience (mais sans chute au sol) qui est obligatoire pour le diagnostic et, parfois, de mouvements des paupières, irréguliers et légers ou, encore, d'automatismes. Les absences peuvent être vues dans différents syndromes épileptiques, qui ont tous leur évolution et leur pronostic propres. Lorsqu'elles sont isolées, on parle d'épilepsie absence de l'enfance (EAE) ou de l'adolescence (EAA). Dans l'EAE, aussi appelée pycnolepsie, les absences débutent entre l'âge de 3 et 10 ans, avec un pic entre 6 et 7 ans. L'EAE est plus fréquente chez les filles (70 %) et il existe une incidence familiale (voir le chapitre 4). Les absences peuvent se répéter à de multiples reprises chaque jour, et peuvent même être innombrables. Elles durent de 4 à 20 secondes, le plus souvent autour de 10 secondes. Le patient peut parfois poursuivre au ralenti l'activité en cours. Durant les absences, on enregistre sur l'EEG une activité typique constituée de pointes, suivies d'une onde lente, généralisées, à une fréquence de trois ondes par seconde. Les absences disparaissent dans 91 % des cas avant l'âge de 20 ans, surtout entre l'âge de 10 et 14 ans. Si elles persistent, elles deviennent plus rares, sont légères et ne sont pas incommodantes. Par contre, la disparition des absences ne signifie pas une guérison. En effet, des crises tonico-cloniques généralisées (CTCG) peuvent survenir 5 à 10 ans après le début des absences, soit vers l'âge de 8 à 15 ans. Ce risque est d'autant plus élevé (jusqu'à 85 %) si les absences ont été tardivement ou insuffisamment traitées (contre 30 % si ce n'est pas le cas). Il s'agit de crises rares, qui répondent bien en général au traitement. Les absences répondent bien à l'acide valproïque, à la lamotrigine et à l'éthosuximide. Ce dernier n'est pas efficace cependant pour les CTCG.

L'EAA survient par définition plus tardivement. L'âge de début est entre 7 et 17 ans, avec un pic entre 10 et 12 ans. Les garçons sont aussi souvent atteints que les filles. Il existe également une incidence familiale élevée (voir le chapitre 4). Les absences sont moins fréquentes que dans l'EAE et ne sont pas quotidiennes. L'altération de l'état de conscience peut être moins marquée que lors des absences de l'EAE. Les CTCG sont plus fréquentes (jusqu'à 80 %) que dans l'EAE et précèdent même souvent les absences. Tant les absences que les CTCG répondent bien en général à la médication, acide valproïque ou lamotrigine (85 %).

Épilepsie myoclonique juvénile

L'épilepsie myoclonique juvénile (EMJ) ou syndrome de Janz est peut-être la plus fréquente des EGI. Elle peut débuter entre l'âge de 8 et 26 ans, mais pour 75 % des patients, elle commence entre 12 et 18 ans. On retrouve une histoire de convulsions fébriles dans 5 à 10 % des cas, mais il n'y a pas d'autres antécédents pertinents. Les myoclonies représentent le type de crises le plus fréquent et sont obligatoires au diagnostic. Elles surviennent typiquement le matin, au cours de la demi-heure qui suit le réveil. Elles sont brèves, synchrones, généralement symétriques et touchent principalement les bras. Les CTCG surviennent chez 80 à 95 % des patients, mais sont très peu fréquentes (une ou deux par année). Elles surviennent également le matin. Les myoclonies et les CTCG sont favorisées par une mauvaise hygiène du sommeil et la consommation excessive d'alcool. Il peut y avoir également des absences typiques, mais qui sont peu fréquentes, brèves et peu intenses. Elles passent souvent inaperçues, tant de la part patient que de son entourage. Lors d'enregistrements d'EEG prolongés (vidéo-EEG), on peut toutefois les retrouver chez 35 % des patients. Le traitement consiste d'abord en une bonne hygiène de sommeil et une consommation d'alcool prudente. Ceci doit se faire avec un traitement antiépileptique, l'acide valproïque étant le médicament de premier choix. Il faut éviter l'utilisation du phénytoin, du vigabatrin et de la carbamazépine, qui peuvent tous trois aggraver les myoclonies. Certaines études ont rapporté une aggravation similaire avec la lamotrigine, quoique dans d'autres séries ce médicament soit considéré comme étant efficace pour le traitement de l'EJM. L'EMJ est une épilepsie qui a un bon pronostic, puisque 80 à 90 % des patients sont bien contrôlés en monothérapie. Il s'agit cependant d'une épilepsie qui doit être traitée à long terme.

Réponse photosensible

Par réponse photosensible ou photoparoxystique (RPP), on entend les modifications retrouvées sur l'EEG lors de la stimulation lumineuse intermittente (SLI). Ces modifications sont surtout observées autour de la puberté et sont plus fréquentes chez les filles. Elles peuvent se retrouver chez 0,5 à 8,9 % des patients normaux, la grande variabilité étant probablement secondaire aux techniques et aux populations étudiées (âge et prédominance selon le sexe). Si elles sont enregistrées avant l'âge de 17 ans, elles peuvent cependant être le marqueur d'une épilepsie potentielle. Parmi les épilepsies qui comportent une photosensibilité, on retrouve surtout des épilepsies généralisées : l'épilepsie myoclonique bénigne du nourrisson (10 % de RPP), l'EAE (15 % de RPP), l'EAA (8 % de RPP), l'EMJ (30 à 40 % de RPP), l'épilepsie myoclono-astatique (jusqu'à 100 % de RPP), l'épilepsie myoclonique sévère du nourrisson (8 à 40 % de RPP selon l'âge) et les épilepsies myocloniques progressives (100 % de RPP). Par ailleurs, jusqu'à 25 % des RPP se retrouvent chez des patients avec une épilepsie focale, surtout frontale (50 % des cas) ou temporale (25 %).

Cryptogéniques et/ou symptomatiques

Syndrome de West

Le syndrome de West est défini par une triade classique : 1- présence de crises convulsives sous forme de spasmes infantiles (SI) ; 2- retard psychomoteur ; 3- EEG mettant en évidence un tracé d'hypsarythmie. Ce syndrome survient de façon caractéristique chez des enfants de moins de 1 an (dans 90 % des cas), surtout entre 4 et 6 mois. Les SI sont des crises dues à une contraction des muscles axiaux. Selon que les muscles impliqués sont extenseurs ou fléchisseurs, les mouvements seront donc une extension ou une flexion d'un segment du corps. Les SI sont habituellement symétriques, le plus souvent mixtes (extension des membres inférieurs, flexion des membres supérieurs, ou l'inverse), en flexion et moins fréquemment en extension. Les SI peuvent être variés chez le même enfant. Ils surviennent le plus souvent lors des fluctuations de l'état de vigilance, soit à l'éveil ou à l'endormissement, mais peuvent se manifester n'importe quand pendant le jour ou la nuit. Ils surviennent souvent en salves, les SI ayant tendance à être de moins en moins intenses au fur et à mesure de la salve. Ils peuvent survenir de quelques fois par jour à plus d'une centaine de fois.

Les SI peuvent être accompagnés par d'autres types de crises. Des crises partielles, précédant, intriquées ou suivant les SI sont le signe d'une lésion ou d'une malformation cérébrale sous-jacente. Les SI surviennent dans 30 % des cas chez des enfants normaux et, chez les autres enfants, il existe soit des antécédents clairs d'atteinte neurologique, soit un examen physique ou un développement anormal. Chez les enfants avec SI, on recherche la présence d'hypsarythmie sur l'EEG. Il s'agit d'une dysfonction lente de haute amplitude, s'accompagnant de pointes épileptiques multifocales. Lorsque le patient présente également des crises partielles, on peut également retrouver un foyer épileptique bien focalisé, qui lui aussi est le signe d'une lésion ou d'une malformation cérébrale sous-jacente. Le tracé d'hypsarythmie se retrouve surtout au début des SI, et disparaît chez les enfants de plus de 2 ans. Mais même au début du syndrome, 34 % des enfants n'auront pas ce tracé typique. Le syndrome de West est idiopathique dans 10 % des cas, et chez ces patients le pronostic de développement est bon. Dans 10 à 15 % des cas, on parle de West cryptogénique, alors que dans les autres cas, une étiologie est retrouvée. Celle-ci peut être infectieuse, traumatique, anoxique (incluant la prématurité), malformative cérébrale, chromosomique ou elle peut être une maladie neurocutanée, la sclérose tubéreuse de Bourneville étant une étiologie fréquente. Les erreurs innées du métabolisme sont des causes plus rares. Parmi les cas cryptogéniques ou symptomatiques, on considère que 55 à 60 % des enfants vont développer d'autres sortes de crises ou un autre syndrome, 50 % des patients auront des séquelles au niveau du développement moteur, et 70 à 78 % une déficience intellectuelle. Initialement, l'hydrocortisone ou la prednisone était le traitement de choix. Depuis les années 1980, le vigabatrin s'est montré particulièrement efficace, tant sur le plan de la rapidité que de la durée de réponse. Il n'est malheureusement pas disponible dans tous les pays, mais l'est au Canada. La carbamazépine est à proscrire puisqu'elle peut aggraver le tableau et même favoriser l'émergence de SI chez des enfants ayant une condition neurologique les prédisposant à développer des SI.

Syndrome de Lennox-Gastaut

Tout comme le syndrome de West, le syndrome de Lennox-Gastaut (SLG) est un des syndromes épileptiques dont le pronostic est sombre. Sa définition repose sur une triade électroclinique : 1- crises épileptiques multiples comprenant des crises toniques, des absences atypiques et des crises atoniques ; 2- anomalies EEG caractérisées par des pointes-ondes lentes (POL) diffuses à l'état de veille et des rythmes rapides (RR) généralisés dans le sommeil ; 3- ralentissement du développement intellectuel et troubles de la personnalité. L'âge de la survenue du syndrome se situe entre 3 et 10 ans, surtout entre 3 et 5 ans. Chez environ le tiers des patients, l'épilepsie débute chez un enfant normal. Dans les autres cas, l'enfant présente déjà un retard de développement plus ou moins marqué au moment de l'apparition du SLG. Il peut aussi déjà avoir des antécédents épileptiques et en particulier peut avoir eu un syndrome de West (10-25 % des cas). Les antécédents familiaux d'épilepsie ou de convulsions fébriles sont rares. Dans 25 à 30 % des cas, aucune étiologie ne peut être mise en évidence. Dans les autres cas, on retrouve en général une atteinte cérébrale bilatérale, diffuse ou multifocale. Les crises toniques sont les crises les plus caractéristiques du SLG. Elles surviennent tant le jour que la nuit, et peuvent être plus fréquentes la nuit. Elles s'accompagnent très souvent de phénomènes végétatifs : rougeur de la face, accélération du rythme cardiaque (tachycardie), changement respiratoire, dilatation pupillaire, incontinence urinaire. Ces crises sont accompagnées sur l'EEG par une activité de RR généralisés.

Les absences atypiques sont également très fréquentes et se caractérisent par une perte progressive de l'état de conscience, qui est souvent incomplète. L'enfant peut continuer ses activités motrices, quoiqu'au ralenti. Elles se manifestent sur l'EEG par des POL généralisées. Les crises atoniques sont moins fréquentes. Elles consistent en une chute brutale de la tête, puis du tronc puis des membres inférieurs. Leur correspondance EEG peut être variée. Les états de mal (EM) sont fréquents, se manifestent surtout par une obnubilation, parfois avec des phénomènes toniques, myocloniques ou atoniques. Les patients peuvent aussi présenter des crises tonico-cloniques et partielles, mais ce type de crises est beaucoup moins fréquent. Presque tous les enfants développent des problèmes sévères tant sur le plan cognitif que sur le plan comportemental. Ce retard peut être dû soit à la maladie responsable du SLG soit à l'épilepsie elle-même qui est rebelle au traitement, et a un effet négatif sur le développement de l'enfant. Ceci est d'autant plus vrai si les crises ont débuté avant l'âge de 3 ans, si les POL demeurent fréquentes sur l'EEG et si les EM sont fréquents. L'acide valproïque et une benzodiazépine demeurent l'association de choix pour le SLG, même si elles ne permettent pas un contrôle parfait. Plusieurs études ont été faites avec les nouveaux antiépileptiques, mais aucune n'a permis d'en identifier un comme étant plus efficace que les autres. La lamotrigine, le topiramate et le felbamate semblent efficaces comme médication d'appoint. Les EM sont très souvent rebelles au traitement et peuvent même être aggravés par les benzodiazépines. La diète cétogène est une autre option de traitement. Selon certaines études, son emploi permettrait une réduction de plus de 50 % des crises chez plus de 50 % des patients. À l'âge adulte l'épilepsie peut parfois diminuer. Le patient reste cependant avec une épilepsie nécessitant une polythérapie à long terme. Malheureusement, la dégradation cognitive et surtout comportementale se poursuit à l'âge adulte et la majorité des patients doivent être institutionnalisés.

Syndrome de Doose (ou épilepsie myoclono-astatique – EMA)

Nous décrivons ce syndrome rare parce qu'il est important de le distinguer du SLG. Il s'agit d'un syndrome qui associe différents types de crises (myoclono-astatiques, absences atypiques, CTCG, toniques et myocloniques), mais qui ne résulte pas d'une insulte cérébrale. La maladie débute chez des enfants normaux de 18 à 60 mois (avec un pic à 3 ans) qui ont une histoire familiale de crises fébriles ou d'épilepsie. Ce sont les crises myocloniques et myoclono-astatiques qui prédominent. Il est important de distinguer l'EMA du SLG en raison des facteurs génétiques plutôt que lésionnels cérébraux, mais également en raison du pronostic. Alors que le SLG a toujours un mauvais pronostic, la moitié des patients avec EMA auront un pronostic plus favorable. Malheureusement, il est très difficile de déterminer précocement si le patient avec EMA aura ou non un bon pronostic. Aucun facteur précis ne distingue les deux sous-groupes. On sait seulement que les crises toniques vibratoires prolongées du petit matin (entre quatre et six heures) et les EM myocloniques, qui peuvent durer plusieurs jours, sont plus fréquents dans le groupe avec évolution défavorable. L'acide valproïque, la lamotrigine, l'éthosuximide (surtout en présence d'absences et de myoclonies) et une benzodiazépine, seuls ou en combinaison, sont d'excellentes alternatives médicamenteuses. La carbamazépine et le vigabatrin sont exclus en raison de leur risque élevé d'exacerber les myoclonies.

Épilepsies de type indéterminé

Avec crises généralisées et partielles

Convulsions néonatales

Les manifestations cliniques des convulsions néonatales sont particulières à cette tranche d'âge, puisque la myélinisation (qui forme la substance blanche et est essentielle pour la transmission de l'influx électrique) est à peine amorcée à cet âge, de sorte que l'activité épileptique cérébrale n'aura pas la même manifestation clinique que chez un enfant plus vieux. En particulier, il ne peut y avoir de crise secondairement généralisée chez les enfants de cette tranche d'âge. Cependant, cliniquement, les crises peuvent avoir un aspect généralisé, en raison de la diffusion motrice des crises, chez des nouveaux-nés qui bougent « en bloc » sans dissociation droite-gauche. Toujours en raison de la quasi absence de substance blanche, les nourrissons peuvent avoir des crises à points de départ indépendants au niveau du cortex, qui se manifestent en même temps au niveau des deux hémicorps, mais de façon asynchrone. Finalement, encore une fois en raison du délai de maturation de la substance blanche, il arrive assez souvent que les crises cliniques ne s'accompagnent d'aucune anomalie sur l'EEG, par exemple si un foyer profond ne se propage pas au cortex. Les crises cliniques peuvent être cloniques, toniques ou myocloniques ; elles peuvent avoir une présentation plus inhabituelle et se manifester par des mouvements de pédalage des membres inférieurs, des automatismes ou des mouvements oculaires subtils (nystagmus) ; elles peuvent être dysautonomiques et se présenter sous forme de brefs arrêts de la respiration (apnées), qui typiquement ne s'accompagnent pas de ralentissement du rythme cardiaque (bradycardie) ; il est important de rechercher une cause sous-jacente chez les nouveaux-nés qui présentent des manifestations épileptiques. Celles-ci peuvent être infectieuses, dues à des anomalies ou événements qui se sont produits durant la grossesse ou au moment de l'accouchement, comme par exemple un manque d'oxygénation (anoxie-ischémie) ou une hémorragie cérébrale, ou secondaire à une malformation cérébrale. Les convulsions peuvent aussi être dues à un problème métabolique transitoire, telle qu'une hypoglycémie ou une hypocalcémie, ou à un problème permanent secondaire à une erreur innée du métabolisme. Le bilan doit inclure un bilan biochimique complet, un bilan infectieux dont la ponction lombaire et une imagerie cérébrale. Le traitement des convulsions néonatales est limité. Il débute par du phénobarbital donné par voie intraveineuse (IV), puis de la phénytoine IV et/ou une benzodiazépine (nitrazépam donné par voie orale, diazépam IV ou lorazépam IV). Le traitement d'entretien se limite le plus souvent au phénobarbital, la phénytoine ayant une absorption orale erratique et une demi-vie parfois extrêmement rapide. La durée du traitement dépend de l'étiologie. Une malformation cérébrale nécessite un traitement à long terme, alors qu'un enfant ayant convulsé dans le contexte d'une anoxo-ischémie peut être sevré de sa médication au cours de quelques semaines, selon son évolution clinique.

Syndromes spéciaux

Convulsions fébriles

Les convulsions fébriles (CF) surviennent par définition au décours d'un épisode de fièvre. Elles surviennent chez 3 à 4 % des enfants de 6 mois à 5 ans, avec un maximum entre 18 et 22 mois. Elles sont considérées comme simples si elles sont généralisées d'emblée, durent moins de 15 minutes et ne se reproduisent pas au cours des 24 heures suivantes. Elles sont dites complexes si elles sont latéralisées, si elles durent plus de 15 minutes ou si elles se répètent au cours des prochaines 24 heures. Environ 25 % des convulsions fébriles sont complexes, les autres étant simples. Elles peuvent survenir avec toutes sortes d'infections virales ou bactériennes. Elles sont parfois la première manifestation de l'état infectieux. Il est clair qu'il existe une prédisposition génétique à faire des convulsions fébriles, d'une part en raison de l'histoire familiale souvent positive chez ces enfants et d'autre part en raison des résultats obtenus par les études génétiques dans les dernières années (voir le chapitre 4). Il est essentiel de distinguer les CF des convulsions dues à une infection du système nerveux central. La ponction lombaire doit donc être faite dès qu'il existe une suspicion de méningite ou d'encéphalite. L'imagerie cérébrale n'est pas indiquée à moins d'un examen neurologique anormal. L'EEG n'a pas non plus d'utilité puisqu'à cette date il ne peut prédire les risques ultérieurs de l'enfant à développer une épilepsie. Ce risque est de 2 à 4 % chez les enfants avec CF simple et de 5 à 10 % chez les enfants avec des CF complexes, une histoire familiale d'épilepsie, un examen neurologique anormal ou des antécédents neurologiques anormaux.

Par ailleurs, 30 à 40 % des enfants ayant eu une première CF vont connaître d'autres épisodes de convulsions. Le risque est d'autant plus grand si l'enfant a une histoire familiale de CF, est jeune (moins de18 mois) lors de la première CF, a eu très peu longtemps et très peu de fièvre avant la CF. Les CF ne nécessitent pas de traitement à moins qu'elles se prolongent au-delà de 5 minutes. Le traitement de choix est alors une benzodiazépine donnée par voie intra rectale à la maison ou par voie IV à l'hôpital. Par ailleurs, il ne semble pas que le contrôle de la température ait un impact significatif sur la prévention des CF. Par contre l'agent antipyrétique est essentiel au confort de l'enfant. Finalement, il y a eu une époque où il était courant de traiter avec du phénobarbital les enfants avec CF répétées puis, ultérieurement, avec de l'acide valproïque. Cette pratique est maintenant abandonnée puisqu'on considère que la prophylaxie apporte plus d'effets secondaires nuisibles que de bénéfices. Chez les enfants à risque de faire des CF prolongées, on enseigne aux parents comment donner le diazépam en intra rectal, ce qui leur permet d'arrêter la crise à la maison. Certains neurologues prescrivent parfois une benzodiazépine par voie orale qui est administrée uniquement au début puis pour la durée des épisodes fébriles.

État de mal épileptique

L'état de mal épileptique (EM) se définit comme suit : « Toute convulsion qui dure plus de 30 minutes ou toutes convulsions récidivantes qui se répètent pendant plus de 30 minutes sans un retour entre chacune à un état de conscience normal. » On considère que 10 à 20 % des enfants épileptiques (70 % si l'épilepsie débute avant l'âge de 1 an) vont avoir un EM au décours de leur épilepsie. Ce risque varie selon l'étiologie de l'EM. S'il s'agit d'un EM symptomatique aigu (encéphalite, anoxo-ischémie, etc.) ou d'un EM secondaire à une maladie neurologique connue, le risque est plus élevé. Par ailleurs, 10 % des enfants avec une épilepsie simple peuvent avoir leur première crise sous forme d'un EM. Le risque de récidive d'un EM varie aussi selon l'étiologie de l'épilepsie : jusqu'à 50 % chez un enfant avec une atteinte neurologique, contre 3 % chez un enfant normal. Au 20e siècle, la prise en charge médicale d'un EM a beaucoup changé. Les patients sont maintenant admis aux soins intensifs et le traitement est plus agressif (intubation endotrachéale, monitoring constant de la tension artérielle et de la fonction cardiaque etc.). Le taux de mortalité dû à l'EM a donc baissé et est maintenant de 2 % (ce qui demeure encore malheureusement trop élevé). Par contre, le taux de la morbidité, (épilepsie ultérieure, séquelles cognitives ou motrices) de 30 % reste toujours très élevée. Ceci est dû non pas à l'EM lui-même mais plutôt à la cause de l'état de mal (anoxie, traumatisme, encéphalite, etc.). Pour éviter un état de mal, on débute un traitement intensif dès qu'une convulsion dure plus de 5 minutes. Cependant, il arrive que ce traitement ne soit pas efficace ou, surtout, que l'enfant ait des convulsions déjà depuis plusieurs minutes à son arrivée à l'hôpital. C'est à partir de 30 minutes d'EM convulsif que les dommages cérébraux risquent de survenir (le délai est moins bien connu pour les états de mal non convulsifs, c'est-à-dire EM d'absences ou de crises partielles). Très rapidement, on installe donc une voie veineuse et on donne une benzodiazépine. Si l'EM persiste ou si il arrête, mais que le risque de récidive est élevé, on donne ensuite une dose de charge de phénytoine. Si l'EM persiste, une perfusion de midazolam est débutée. Une non-réponse à ce troisième médicament signifie un EM rebelle et son traitement dépasse le niveau de cet ouvrage. Parallèlement à la prise en charge médicale du patient, on doit rechercher l'étiologie de l'EM, surtout si le patient n'est pas connu comme étant épileptique ou n'a pas de condition neurologique pathologique. Cette recherche doit comprendre un bilan biochimique, métabolique, toxique et, éventuellement, infectieux.

Références

ANDERMANN F. et Y. HART. « Rasmussen Syndrome ». Site web : www.medlink.com

BUGERMAN A.H. et J. BRUNI. (Eds.) *L'épilepsie : manuel clinique*. Guelph, Ont. : Meducom International Inc, 1997.

CAMFIELD C. et al. « Febrile seizures ». Site web : www.medlink.com

COURTOIS G. *Neurologie*. Montréal : Presses de l'Université de Montréal, 1991.

DUBEAU F. « Crises épileptiques chez l'adulte ». Site web : www.amlfc.org

ENGEL J. « Epilepsy ». Site web : www.medlink.com

ENGEL J. et N. FEJERMAN. « Benign childhood epilepsy with centrotemporal spikes ». Site web : www.medlink.com

ROGER J., M. BUREAU, C. DRAVET, P. GENTON, C.A. TASSINARI et P. WOLF (Eds). *Les syndromes épileptiques de l'enfant et de l'adolescent*. 3e éd. Paris : John Libbey, 2002.

VIGEVANO F. « Benign familial infantile seizures ». *Brain and Development* 2005 27 :172-177.

Chapitre 3

Les méthodes diagnostiques

▼

Par Philippe Major et Paola Diadori

La variété des modes de présentation de l'épilepsie et des autres manifestations paroxystiques peut parfois rendre problématique le diagnostic précis. Le but du présent chapitre est d'expliquer la démarche et les techniques d'investigation menant au diagnostic de l'épilepsie. Cette évaluation du patient est primordiale afin de définir le type et la cause de l'épilepsie, de sélectionner la médication antiépileptique appropriée et de préciser le pronostic à long terme.

Malgré les progrès constants des technologies d'investigation dans les domaines de l'électrophysiologie et de la neuro-imagerie, le diagnostic de l'épilepsie repose toujours sur la clinique. Un questionnaire complet permet la plupart du temps de déterminer si les épisodes qu'a présentés le patient sont compatibles avec des manifestations épileptiques ou, au contraire, avec d'autres phénomènes paroxystiques comme les syncopes, les attaques de panique, les migraines, les épisodes d'ischémie cérébrale transitoire, les troubles du mouvement, les parasomnies, etc. Le tableau 1 (en page 52) énumère les aspects pertinents du questionnaire et de l'examen physique sur lesquels le médecin porte particulièrement son attention.

L'épilepsie est définie comme une condition dans laquelle la personne est prédisposée à faire des convulsions spontanées. Par conséquent, une convulsion unique ou l'apparition de convulsions transitoires suite à un désordre aigu (hypoglycémie, syncope, ingestion de drogues, etc.) ne répondent pas aux critères d'épilepsie. L'épilepsie peut disparaître spontanément dans les 2/3 des cas. Il est important de souligner que la médication antiépileptique diminue le risque de faire des crises, mais qu'elle ne guérit pas la cause sous-jacente de l'épilepsie (lorsqu'elle est identifiable).

TABLEAU 3

Questionnaire et examen physique du patient qui manifeste des phénomènes paroxystiques

Questionnaire

Dominance manuelle.

Histoire de la grossesse : résultats des échographies prénatales, infections, prise de médicaments, d'alcool, de tabac, de drogue, traumatisme, accouchement à terme ou prématuré.

Histoire périnatale : durée du travail, accouchement vaginal spontané ou césarienne, complications à la naissance (besoin de réanimation, d'intubation, de médicaments), score d'APGAR, poids et périmètre crânien à la naissance.

Développement : moteur fin, langage, moteur global et interactions sociales.

Fonctionnement scolaire.

Histoire médicale générale : traumatisme crânien, méningo-encéphalite, accident vasculaire cérébral ou maladie neurologique ou neuromusculaire.

Prise de médicaments.

Histoire familiale : épilepsie, convulsions fébriles, retard mental ou autres.

Description des crises : symptômes annonciateurs (aura), phénomènes moteurs (myoclonies, hypertonie, clonies, atonie, mâchonnement, mouvements et clignements des yeux), sensitifs (somesthésique, auditif, visuel, gustatif) ou autonome ou psychique, atteinte de l'état de conscience, morsure de langue, incontinence urinaire ou fécale, durée de la crise, état post-ictal (après la crise).

Âge d'apparition des crises.

Fréquence des crises.

Facteurs précipitants : fièvre, manque de sommeil, stress, photosensibilité, médicaments, drogue, sevrage d'alcool ou autres.

Pattern diurne ou nocturne.

Emploi.

Conduite automobile.

Examen physique

État d'éveil, langage, interactions sociales.

Observation de crises, qui peuvent parfois être exacerbées par l'hyperventilation.

Développement global.

Présence de dysmorphies, d'asymétrie des membres, de taches neurocutanées, d'organomégalie.

Périmètre crânien.

Examen neurologique : nerfs crâniens, forces et tonus musculaires, réflexes ostéotendineux, épreuves sensitives et cérébelleuses, évaluation de la démarche.

Les convulsions sont classées selon qu'elles sont focales ou généralisées, ou en association avec des syndromes épileptiques. Les convulsions focales (épilepsie temporale, frontale, pariétale, occipitale, etc.) sont causées par l'activation anormale d'un groupe restreint de neurones et se manifestent par divers symptômes cliniques qui permettent généralement de localiser le foyer épileptique. Contrairement aux convulsions focales simples, les convulsions focales complexes sont associées à une atteinte de l'état de conscience. Les convulsions généralisées résultent d'une activation synchrone et globale des neurones cérébraux et affectent toujours l'état de conscience. Les convulsions focales peuvent devenir secondairement généralisées lorsque l'activité épileptique se propage à tout le cerveau. Les syndromes épileptiques sont reconnus par l'association de diverses caractéristiques spécifiques à la clinique, à l'électroencéphalogramme (EEG) et à l'imagerie.

L'étiologie de l'épilepsie reste inconnue chez environ 65 à 70 % des patients. Chez ceux où aucune cause n'est identifiée après un bilan complet, on qualifie l'épilepsie d'idiopathique lorsque le développement du patient est normal, et de cryptogénique lorsque le développement ou le fonctionnement cognitif est anormal. Les types d'épilepsie où une cause est identifiée sont appelés symptomatiques. La figure 1 présente les étiologies présumées de l'épilepsie chez des patients de tous âges. Elles comprennent les causes inconnues (68,7 %), les maladies cérébrovasculaires (13,2 %), les anomalies de développement du système nerveux central (5,5 %), les traumatismes crâniens (4,1 %), les tumeurs cérébrales (3,6 %), les infections du système nerveux central (2,6 %), les maladies dégénératives (1,8 %) et d'autres causes plus rares (0,5 %). Même si la proportion des épilepsies de cause inconnue est semblable à tous âges, l'étiologie des épilepsies symptomatiques diffère grandement selon l'âge, comme en fait foi la figure 2.

Électrophysiologie

Électroencéphalogramme

L'électroencéphalogramme (EEG) est un outil qui aide à confirmer le diagnostic d'épilepsie, à classifier le type d'épilepsie, à mieux localiser le foyer épileptique et à prendre une décision quant à l'introduction ou à l'arrêt d'un traitement antiépileptique. L'EEG consiste en un tracé des fluctuations de voltage provenant des potentiels dendritiques des couches corticales superficielles en fonction du temps. Plus simplement, l'EEG mesure l'activité électrique produite par le cerveau. En général, 21 électrodes sont placées sur le scalp de façon précise selon le système international 10-20, mais d'autres électrodes peuvent être placées au besoin. Chacune des électrodes enregistre l'activité électrique produite par une région cérébrale spécifique. L'enregistrement dure habituellement un minimum de 20 minutes.

Il faut rappeler que le diagnostic de l'épilepsie est d'abord clinique et qu'il ne peut pas être posé sur la base d'un EEG anormal. En effet, on peut retrouver des anomalies épileptiques à l'EEG chez environ 5 % des enfants sans histoire de convulsion. La majorité de ces enfants ne présenteront d'ailleurs aucune manifestation épileptique dans leur vie. Si le tableau clinique du patient n'est pas compatible avec des manifestations épileptiques, il est donc futile de procéder à un EEG, puisque celui-ci peut mettre en évidence une activité épileptique qui n'a aucune

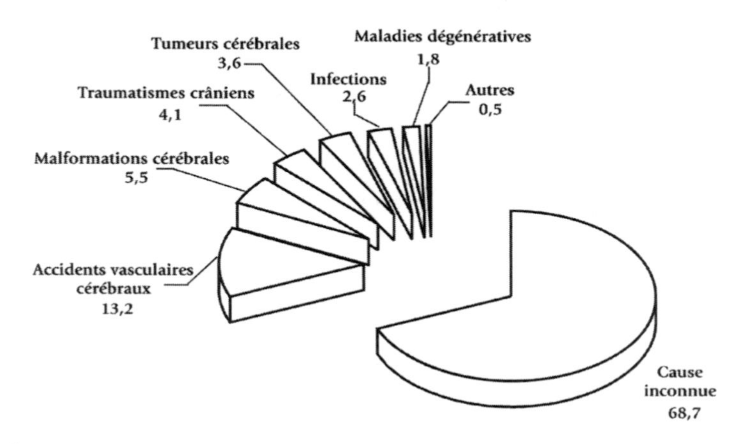

Figure 6
Étiologies présumées de l'épilepsie chez des patients de tous âges.

(Adapté de Annegers JF. *Epidemiology and genetics of epilepsy*. Neurology Clinics 1994; 12 (1): 15-29)

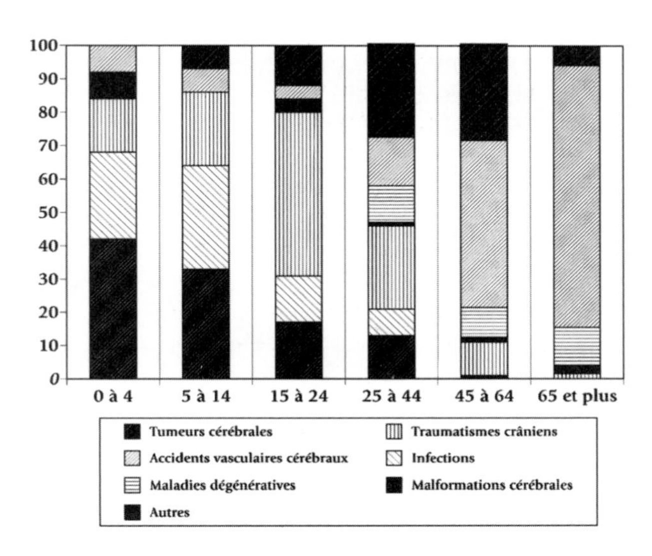

Figure 7
Incidences proportionnelles des épilepsies selon l'âge et l'étiologie.

(Adaptée de Annegers JF: *The epidemiology of epilepsy*. In Willie E (ed): The treatment of epilepsy: principles and practice. Philadelphia, Lea & Febiger, 2001, p.135.)

corrélation clinique, mais qui peut inquiéter inutilement les patients ou leurs parents. Il faut aussi souligner que le rendement de l'EEG dépend de la personne qui l'interprète et de la capacité à départager l'activité épileptique des variantes de la normale et des artéfacts (activité enregistrée sur l'EEG, mais qui n'origine pas du cerveau, par exemple, activité musculaire, mouvements des yeux, rythme cardiaque, etc.).

En général, des EEG normaux sont retrouvés de façon constante chez 10 à 20 % des patients épileptiques. La sensibilité d'un seul EEG pour identifier des anomalies épileptiques est évaluée à 50 %, tandis qu'elle augmente jusqu'à 90 % après le troisième enregistrement. Cette sensibilité peut être accentuée par l'utilisation de méthodes d'activation de l'activité épileptique telles que l'hyperventilation, la stimulation lumineuse intermittente (SLI) ou la privation de sommeil.

Dans les syndromes épileptiques généralisés, les décharges sont enregistrées d'emblée à toutes les électrodes. Par exemple, dans les cas d'absences idiopathiques de type petit mal, on peut observer des pointes suivies d'ondes lentes à une fréquence de 3 Hz (figure 3a) qui peuvent être augmentées en durée et en fréquence durant l'hyperventilation. Les autres types de crises géné-

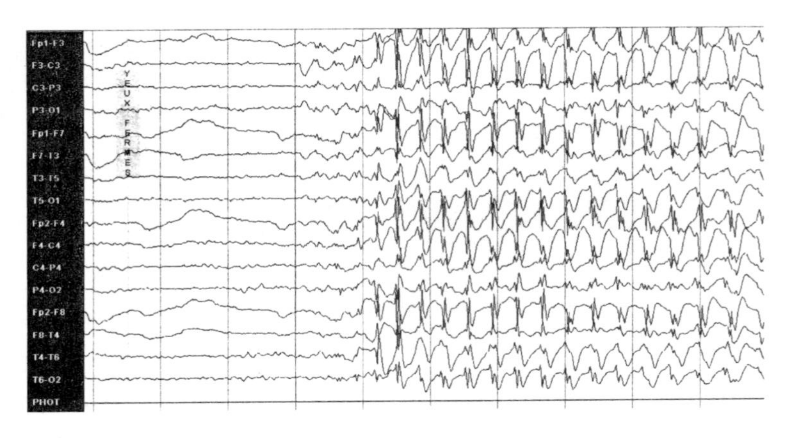

Figure 8a)

Tracé EEG qui montre des pointes généralisées suivies d'ondes lentes (pointes-ondes) de 3 Hz durant 6 secondes chez un enfant de 5 ans dont les manifestations cliniques sont compatibles avec une épilepsie généralisée de type absence.

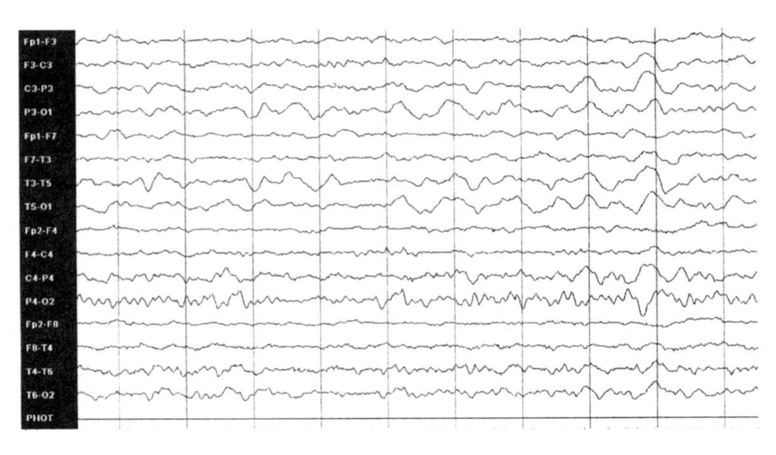

Figure 8b)
Tracé EEG qui montre un ralentissement des rythmes de fond dans le quadrant postérieur de l'hémisphère gauche (C_3-P_3 ; P_3-O_1 ; T_3-T_5 ; T_5-O_1). Pas de pointe épileptique. Épilepsie partielle de l'hémisphère droit.

---

ralisées (myoclonique, tonique, atonique, spasmes infantiles) peuvent aussi être associés à des tracés spécifiques à l'EEG.

Dans l'épilepsie focale, les anomalies typiquement rencontrées sont les pointes, les pointes lentes et les ralentissements localisés du rythme de fond, qui sont généralement situées au niveau de la région épileptogène (figure 3b). La majorité des épilepsies partielles proviennent du lobe temporal, mais on peut retrouver des anomalies épileptiques à la région centro-temporale dans l'épilepsie rolandique bénigne de l'enfance ou aux régions occipitale, frontale ou pariétale. Les décharges périodiques latéralisées sont retrouvées en présence de lésions cérébrales aiguës telles l'encéphalite herpétique, l'abcès cérébral, l'accident vasculaire cérébral aiguë, les tumeurs cérébrales. Elles témoignent d'un haut risque de convulsion.

L'hyperventilation est particulièrement utile pour faire apparaître l'épilepsie de type absence de l'enfant et de l'adolescent où des anomalies épileptiques généralisées peuvent être mises en évidence chez 80 % des patients. À la stimulation lumineuse intermittente (aussi appelée stimulation stroboscopique), on retrouve des décharges épileptiques chez environ 40 % des patients avec une épilepsie généralisée. Lorsque l'EEG de routine est normal, mais que la suspicion clinique d'épilepsie le justifie, un EEG suite à une privation de sommeil peut révéler des anomalies épileptiques restées occultes lors des EEG effectués à l'éveil. Concrètement, l'EEG après privation de sommeil est fait le matin, suite à une nuit où les parents ont eu la tâche de garder l'enfant éveillé. De cette façon, il est possible d'augmenter le rendement diagnostique de l'EEG grâce à l'enregistrement des états de veille, de somnolence et de sommeil.

L'utilité de l'EEG pour la prédiction des récidives de crises après le sevrage des antiépileptiques est controversée. Une méta-analyse récente a conclu que la présence d'une anomalie à l'EEG (pointe épileptique ou ralentissement) est associée à un risque légèrement plus élevé de récidive que si l'EEG est normal. Selon le jugement du neurologue, l'EEG peut donc être demandé pour aider à prendre une décision quant au sevrage des antiépileptiques.

Enregistrement EEG avec vidéo prolongé

L'enregistrement EEG avec vidéo prolongé (polyvidéo) est indiqué principalement lorsque les crises sont réfractaires, c'est-à-dire difficiles à contrôler ou, plus rarement, pour s'assurer que les manifestations que présente le patient sont bien de nature épileptique. Il a pour but d'enregistrer les manifestations cliniques et de permettre au neurologue de visualiser l'activité épileptique lors des crises afin d'en préciser la localisation et la nature. L'analyse de la vidéo aide aussi à préciser la nature des épisodes paroxystiques, particulièrement dans les cas de suspicion de pseudo crises (convulsions non épileptiques), de crises frontales ou de troubles paroxystiques du mouvement. Souvent, quelques jours avant l'admission à l'hôpital pour la polyvidéo, le neurologue diminue progressivement la médication antiépileptique du patient afin d'augmenter la probabilité que le patient fasse plusieurs crises lors de l'enregistrement. Durant toute la durée de l'hospitalisation, un parent ou une personne qui connaît bien l'enfant doit rester à son chevet afin de noter la survenue des crises. La durée habituelle de l'hospitalisation varie selon les centres et le but recherché par le neurologue. La polyvidéo est également essentielle dans l'évaluation préopératoire du patient épileptique afin de bien délimiter la région épileptogène (voir le chapitre 6)

Imagerie cérébrale

Les progrès technologiques dans le domaine de l'imagerie cérébrale ont grandement contribué à l'investigation des causes de l'épilepsie. Le scanner et l'imagerie par résonance magnétique (IRM) permettent de préciser l'anatomie cérébrale et d'identifier des lésions potentiellement épileptogènes. Le SPECT (*single photon emission computed tomography*) ou TEMP (tomographie par émission monophonotonique) et le PET (*positron emission tomography*) ou TEP (tomographie par émissions de positrons) sont des techniques qui servent à l'évaluation cérébrale fonctionnelle, c'est-à-dire qu'elles mesurent respectivement des modifications vasculaires ou métaboliques locales qui sont considérées comme des indices de dysfonction neuronale. Les termes SPECT et PET sont plus fréquemment employés, même chez nos amis français et même s'ils font référence à des acronymes anglophones; ils seront donc utilisés dans cet ouvrage.

Scanner

Le scanner a été développé dans les années 1960. Il utilise les rayons X pour reconstruire par ordinateur des images en tranches de 5-10 mm de haut en bas du cerveau. Un faisceau de rayons X est orienté à travers le cerveau. Une fois arrivé de l'autre côté du cerveau, ce faisceau a été modifié ou « atténué » par les densités relatives de chacune des structures. Par exemple, les structures très denses comme les os bloquent les rayons X, tandis que l'air les bloque très peu. Des détecteurs à rayons X sont positionnés autour du crâne et recueillent les lectures d'atténuation selon de multiples angles. Des algorithmes informatiques permettent d'intégrer toutes ces données pour générer une image en coupe axiale. Le scanner est facilement disponible et l'examen se fait rapidement (environ 10 minutes).

Imagerie par résonance magnétique

L'imagerie par résonance magnétique (IRM) n'est disponible que depuis une quinzaine d'années. Elle tire avantage des propriétés électromagnétiques des molécules contenues dans les différentes structures cérébrales. Par rapport au scanner, elle génère des images avec une plus grande définition selon plusieurs orientations de coupe et elle est exempte de radiation ionisante (rayons X). Par contre, l'IRM n'est pas disponible dans tous les hôpitaux, son temps d'acquisition de données est long (30 à 45 minutes), elle est coûteuse et elle comporte plusieurs contre-indications. Celles-ci comprennent les cas où il y a présence d'un objet métallique dans le corps (*pacemaker*, clip, implant cochléaire, prothèse oculaire, sutures métalliques, etc.), claustrophobie (besoin de rester immobile dans un endroit restreint pendant 30 à 45 minutes) et obésité importante.

La décision de procéder ou non à une imagerie cérébrale et le choix du scanner ou de l'IRM dépendent de la situation clinique de l'enfant. Un scanner est indiqué, parfois en urgence, chez tout patient qui consulte pour la survenue de crises latéralisées, car celles-ci peuvent être causées par des lésions focales comme une tumeur, une malformation cérébrale ou artérioveineuse, un accident cérébrovasculaire, etc. Si le scanner est normal et que les crises récidivent malgré une médication à des niveaux sanguins adéquats ou si l'image reste à préciser, l'IRM est l'examen de choix. En effet, certaines lésions comme la sclérose mésiale hippocampique, les malformations du développement cortical et les malformations artério-veineuses sont nettement mieux définies à l'IRM.

Il est généralement accepté qu'une imagerie cérébrale n'est pas nécessaire chez un enfant avec une épilepsie généralisée typique selon la clinique et l'EEG, dont le développement est harmonieux et dont les crises répondent bien à la médication. Selon une méta-analyse récente, la probabilité de retrouver une anomalie significative à l'imagerie chez ces patients est très faible (moins de 2 %), alors que le rendement augmente à 26 % si les crises sont focales et que l'histoire révèle des facteurs prédisposant à l'épilepsie. Une convulsion fébrile simple ne requiert pas non plus d'examen d'imagerie.

Imagerie fonctionnelle

L'imagerie fonctionnelle comprend le SPECT, le PET et l'imagerie par résonance magnétique fonctionnelle (IRMf). Elle est surtout utile pour l'évaluation préopératoire du patient avec une épilepsie focale afin de mieux localiser l'origine du foyer, ou de la crise épileptique, et les régions importantes pour les fonctions cérébrales normales. Ces techniques ne sont disponibles que dans certains centres spécialisés. Le SPECT permet de déterminer le flot sanguin cérébral en mesurant les photons émis par des radiotraceurs comme le ^{99m}technetium-HMPAO. Cette technique est moins coûteuse et plus simple que le PET, mais son avantage majeur réside dans la possibilité de faire des études ictales (lors de la convulsion) en injectant le radiotraceur le plus tôt possible après le début de la crise.

À cause de la propriété du radiotraceur de rester fixé au cerveau, l'enregistrement reflète le flot sanguin cérébral au moment de l'injection et ce durant quelques heures. Le foyer épileptique est, la plupart du temps, associé à une augmentation de la circulation sanguine cérébrale (hyperperfusion cérébrale) lors de la phase ictale du SPECT, tandis qu'une diminution locale de la circulation cérébrale (hypoperfusion cérébrale) peut être observée en interictal (entre les crises). La valeur des résultats du SPECT est maximale lorsque les anomalies du flot sanguin cérébral (hyperperfusion et hypoperfusion) retrouvées aux études ictales et interictales, sont concordantes.

Quant au PET, il évalue le métabolisme cérébral en utilisant, entre autres, le ^{18}F-2-deoxyglucose (FDG). Le PET-FDG permet d'évaluer l'activité des neurones en mesurant l'utilisation cérébrale du glucose qui est la principale source d'énergie des cellules cérébrales. Une diminution focale de l'utilisation du glucose au PET-FDG interictal est généralement associée à une zone épileptogène. La résonance magnétique fonctionnelle mesure les variations des niveaux d'oxygène dans les différentes régions cérébrales lors de l'exécution de tâches spécifiques par le patient. Cette technique est de plus en plus utilisée pour la localisation des fonctions cérébrales, incluant le langage. Elle est faite lorsqu'on connaît la région épileptique et que l'on veut vérifier, avant une chirurgie pour épilepsie, que cette région n'est pas également responsable de fonctions cognitives importantes.

Évaluation neuropsychologique

L'évaluation neuropsychologique est un outil précieux pour l'investigation des patients souffrant d'épilepsie focale et/ou réfractaire. Dans les épilepsies focales, elle permet de confirmer ou d'infirmer si cette épilepsie a un impact négatif sur les fonctions cognitives générées par les régions impliquées dans le processus épileptique. Dans les épilepsies réfractaires, elle permet de quantifier l'impact de cette épilepsie non contrôlée sur le fonctionnement cognitif de l'enfant. Elle est essentielle en prévision d'une chirurgie pour l'épilepsie afin de déterminer les atteintes cognitives et l'impact potentiel à long terme de l'épilepsie et de la chirurgie sur le fonctionnement. Le test de Wada (aussi appelé le test à l'Amytal) est souvent inclus dans cette évaluation préopératoire, car il permet l'identification du lobe temporal responsable du langage et de la mémoire (voir le chapitre 6)

Importance du suivi à long terme

Finalement, il faut souligner que le suivi des enfants épileptiques est essentiel, car il permet souvent de raffiner le diagnostic et d'évaluer la réponse et les effets secondaires liés au traitement. De plus, une approche multidisciplinaire peut aider l'enfant qui souffre d'une épilepsie réfractaire à apprivoiser sa maladie et à vivre avec certaines difficultés qui y sont parfois associées, comme l'isolement social, les retards de développement moteur et du langage, les troubles d'apprentissage et les problèmes affectifs. Selon la situation, l'enfant et sa famille peuvent aussi bénéficier de l'expertise spécifique d'autres professionnels comme le physiothérapeute, l'ergothérapeute, l'orthophoniste, le psychologue, le travailleur social, etc. (Voir le chapitre 8 à ce sujet).

Conclusion

Pour poser un diagnostic d'épilepsie, l'histoire et le suivi cliniques de l'enfant qui consulte pour des manifestations paroxystiques restent les outils les plus utiles. Le recours aux diverses techniques d'investigation doit s'y harmoniser. Même si les causes d'épilepsie restent inconnues chez la majorité des patients, il est primordial de tout mettre en œuvre pour les identifier afin d'orienter le traitement et la prise en charge spécifiques. Le développement de techniques d'investigation plus performantes permet d'investiguer les patients ayant une épilepsie réfractaire de façon plus complète.

Références

ANNEGERS J.F. « Epidemiology and genetics of epilepsy ». *Neurology Clinics* 1994 12 (1) : 15-29.

Commission on classification and terminology of the International League against Epilepsy. « Proposal for a revised clinical and electroencephalographic classification of epileptic seizures ». *Epilepsia* 1981 22 : 489-501.

Commission on classification and terminology of the International League against Epilepsy. « Proposal for a revised classification of epilepsies and epileptic syndromes ». *Epilepsia* 1989 30 : 389-399.

GILLIAM F. et E. WYLLIE. « Diagnostic testing of seizure disorders ». *Neurology Clinics* 1996 14 (1) : 61-84.

HENRY, T.R. et R.L. VAN HEERTUM. « Positron Emission Tomography and Single Photon Emission Computed Tomography in epilepsy care ». *Seminars in Nuclear Medicine* 2003 33 (2) : 88-104.

OKUBO, Y., M. MATSUURA, T. ASAI et al. « Epileptiform discharges in healthy children : prevalence, emotional and behavioural correlates, and genetic influences ». *Epilepsia* 1994 35 : 832-841.

Provisional Committee on Quality Improvement, Subcommitte on Febrile Seizures. « Practice parameter : the neurodiagnostic evaluation of the child with a first simple febrile seizure ». *Pediatrics* 1996 97 : 769-775.

SHARMA S., J.J. Riviello, M.B. HARPER et al. « The role of emergent neuroimaging in children with new-onset of febrile seizures ». *Pediatrics* 2003 111 : 1-5.

SUNDARAM M., R.M. SADLER, G.B. YOUNG et al. « EEG in epilepsy : current perspectives ». *Canadian Journal of Neurological Sciences* 1999 26 : 255-262.

WILLIE, E. *The Treatment of Epilepsy : Principles and Practice*. Philadelphia : Lea & Febiger, 2001.

CHAPITRE 4

LA GÉNÉTIQUE DE L'ÉPILEPSIE

PAR CÉLINE OGIER ET PATRICK COSSETTE

Depuis longtemps déjà, il est reconnu que plusieurs personnes atteintes d'épilepsie peuvent se retrouver dans une même famille, suggérant un rôle génétique et héréditaire dans la transmission de la maladie. Toutefois, il a fallu attendre la fin du 20e siècle pour que le premier « gène d'épilepsie » soit identifié. Contrairement à d'autres maladies, l'épilepsie est en effet complexe à étudier du point de vue génétique. Certaines maladies sont transmises par un gène unique et leurs manifestations sont caractéristiques et identiques chez les patients qui en sont atteints. D'autres maladies, comme l'épilepsie, ont une génétique beaucoup plus complexe. Tous les patients épileptiques n'ont pas le même type de crises, l'âge d'apparition s'échelonne de la naissance à l'âge adulte, l'évolution est très variable et certains patients ont une cause identifiée pour leur épilepsie alors que d'autres n'en ont pas.

De plus, en se basant sur les travaux de recherche fondamentale (voir le chapitre 7), on comprend de plus en plus ce qui se passe au niveau du neurone (cellule cérébrale) lorsqu'il génère de l'activité épileptique. Ces travaux ont permis de mettre en évidence qu'il n'existe pas une seule anomalie cellulaire pour expliquer l'épilepsie, mais plutôt de nombreuses anomalies. La génétique de l'épilepsie ne repose donc pas sur un gène unique, qui transmet un type d'épilepsie unique, mais bien sur une multitude de gènes, d'où la très grande variabilité de maladies épileptiques. De plus, toutes les épilepsies ne sont pas génétiques. Actuellement, on considère que 40 % des épilepsies ont une cause génétique. Les autres causes sont par exemple des traumatismes crâniens, des tumeurs cérébrales, des accidents vasculaires, etc.

En étudiant une maladie aussi complexe que l'épilepsie, la recherche en génétique doit d'abord s'appuyer sur une notion essentielle: la corrélation entre les manifestations cliniques (phénotype) et les gènes impliqués (génotype). Pour trouver le gène d'une maladie, il faut qu'on étudie les gènes de patients qui ont tous les mêmes symptômes. Or, comme on l'a vu plus haut, toutes les épilepsies ne se comportent pas de la même façon. Si on veut essayer de comprendre la génétique d'une épilepsie, il faut d'abord bien comprendre ses caractéristiques cliniques, ce qu'on appelle son phénotype. Ce phénotype comprend entre autre l'âge de survenue de l'épilepsie, le type de crises, la réponse au traitement, l'association avec d'autres symptômes, la durée de l'épilepsie, l'histoire familiale, etc.

En définissant ainsi les types d'épilepsie, on peut regrouper plusieurs individus qui ont le même phénotype, ou syndrome épileptique. Et à partir de ce classement on fait ce qu'on appelle des études de population: on essaie de voir si les patients qui ont le même phénotype ont un même gène qui pourrait être responsable de leur épilepsie. C'est ce qu'on appelle la corrélation phénotype-génotype.

Avant d'exposer les dernières découvertes dans le domaine de la génétique de l'épilepsie, il convient de revenir aux notions de base en ce qui concerne tout d'abord l'hérédité pour comprendre comment et pourquoi un gène responsable d'une maladie peut se transmettre d'un parent à son enfant. Ensuite, il faut également comprendre la physiopathologie de l'épilepsie, c'est-à-dire son déroulement au niveau des neurones. Ce sont ces notions de base qui permettent de comprendre comment une anomalie génétique entraîne des manifestations épileptiques.

Les gènes

Notre bagage génétique, ce qu'on appelle le caryotype, est constitué de 22 paires de chromosomes identiques, dits autosomiques, et d'une paire de chromosomes sexuels qui définit le sexe de la personne, XX pour une fille et XY pour un garçon. Chaque paire comprend un chromosome paternel, que le père transmet par le spermatozoïde, et un chromosome maternel, que la mère transmet par l'ovule. Ces 46 chromosomes sont présents dans chaque cellule et sont constitués de gènes qui possèdent toute l'information qui fait de chacun de nous un être humain unique. Le bagage génétique humain comprend de 25 000 à 40 000 gènes.

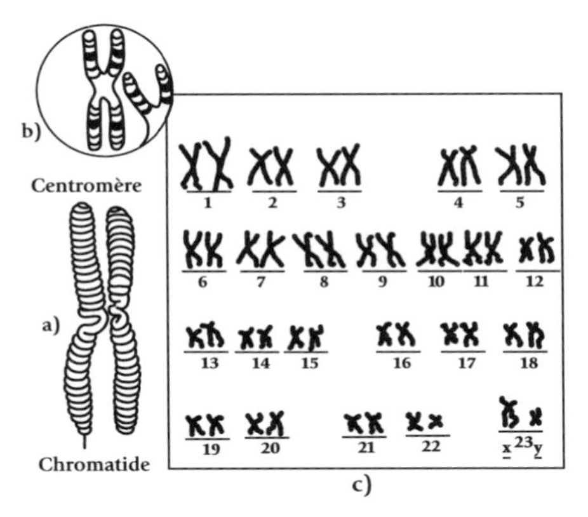

Figure 9
Chromosomes humains : a) chromatide ; b) centromère ; c) caryotype.

Les chromosomes se rassemblent dans le noyau de la cellule.

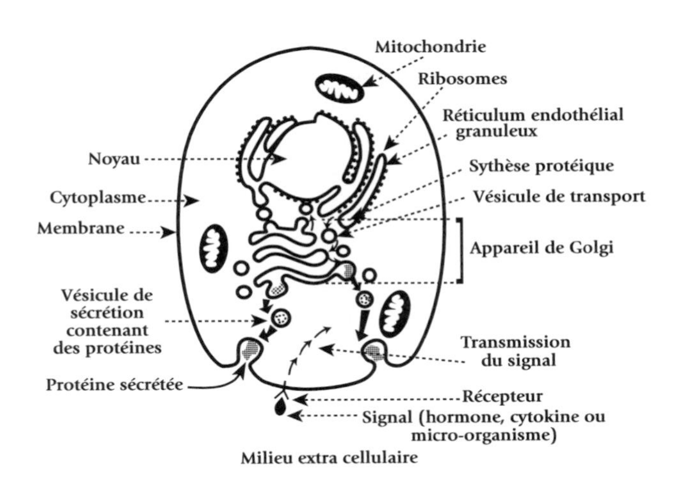

Figure 10
Schéma d'une cellule et de ses composantes.

Ils sont formés d'un double brin d'ADN enroulé sur lui-même. À chaque fois que la cellule se divise, l'ADN est copié dans son entier et chacune des copies se retrouve dans le noyau des deux nouvelles cellules. Ces deux cellules filles contiennent chacune les mêmes 46 chromosomes que la cellule mère, avec tous les mêmes gènes situés les uns à côté des autres sur le brin d'ADN.

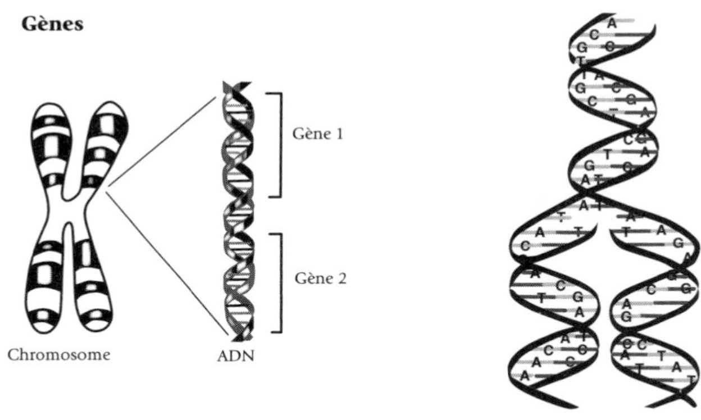

Figure 11
Les gènes sont localisés sur le brin d'ADN dans les chromosomes.

Le brin d'ADN est constitué de quatre bases, appelées aussi nucléotides, à savoir l'adénine (A), la thymine (T), la cytosine (C) et la guanine (G). Elles s'organisent en séries précises qui forment des séquences codantes (les gènes) entrecoupées de séquences non codantes.

Les gènes sont donc situés à des endroits précis sur le brin d'ADN dans les chromosomes, endroit que l'on nomme locus, qui sera le même dans les deux chromosomes de la même paire.

Chaque gène contient une information spécifique qui permet de former une protéine qui a un rôle spécifique à jouer dans notre organisme. Les protéines constituent toutes les structures microscopiques qui font fonctionner le corps humain. Pour leur synthèse ou fabrication, l'ADN du gène est copié dans le noyau en ARN messager (ARNm), qui quitte le noyau pour aller dans le cytoplasme, c'est-à-dire la substance qui constitue l'intérieur de la cellule. À ce niveau, l'ARNm est lu par des ribosomes (des protéines spécialisées) qui forment alors une protéine spécifique constituée d'agencement d'acides aminés qui lui est propre. Cette protéine est ensuite dirigée vers son site d'activité où elle peut commencer à fonctionner.

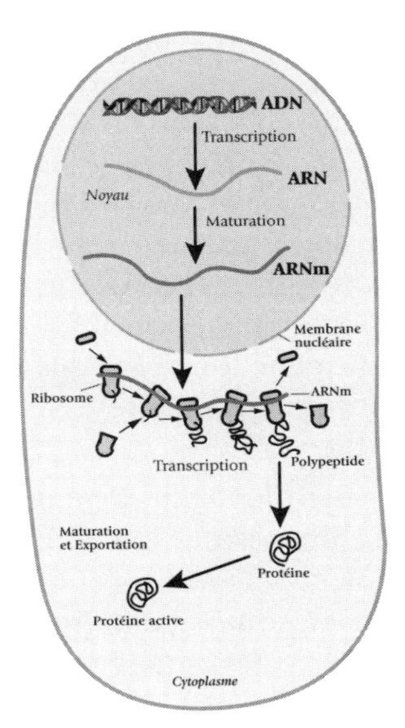

Figure 12
De l'ADN à la protéine.

On imagine donc bien qu'une erreur dans le brin d'ADN, et donc dans le gène, se répercutera jusque dans la structure de la protéine résultante qui sera soit non fonctionnelle, soit partiellement fonctionnelle, selon la sévérité de l'anomalie génétique. La sévérité est fonction de deux facteurs. Premièrement, le site de l'anomalie. Si cette anomalie concerne une région non codante, les protéines des gènes adjacents fonctionneront normalement. Si elle se situe dans une région du gène qui est peu importante pour le fonctionnement de la protéine, celle-ci pourra être active, mais peut-être pas de manière optimale. Si finalement l'anomalie se trouve dans un endroit critique, la protéine sera non fonctionnelle. Deuxièmement, la sévérité dépend du type d'anomalie génétique. Il y a, en effet, plusieurs erreurs possibles. Il y a les mutations ponctuelles où un nucléotide est changé pour un autre; les délétions où un ou plusieurs nucléotides ont disparu; ou, encore, une répétition anormale de triplets de nucléotides.

L'hérédité

Nos connaissances sur la transmission génétique des parents aux enfants se fondent sur une expérience de petits pois! En effet, un moine autrichien du nom de Mendel a étudié dès 1865 la transmission des caractéristiques de ses petits pois dans son jardin. Depuis, d'autres recherches ont mis en lumière la complexité de cette transmission, mais les lois de Mendel restent toujours valables pour une grande partie des maladies génétiques. Ces lois nous expliquent pourquoi un enfant est atteint parfois d'une maladie génétique sans que ses parents le soient ou d'autres situations dans lesquelles seuls les hommes d'une famille ont la maladie.

Comme on le disait plus haut, l'enfant reçoit un chromosome paternel et un chromosome maternel qui vont former une des 23 paires du caryotype. Pour les chromosomes autosomiques, on parle de chromosomes identiques, car chacun des deux renferment les mêmes gènes, situés sur les même locus, qui codent pour les mêmes protéines. Il peut y avoir des variations dans le contenu de l'information véhiculée par ces gènes, mais il s'agit toujours du même type d'information. La transmission de la couleur des yeux explique bien cela. Le gène maternel peut coder par exemple pour la couleur bleue et le gène paternel pour la couleur brune, mais les deux gènes situés au même endroit codent pour le même type d'information, à savoir la couleur des yeux. On comprend donc que deux gènes traitant de la même information peuvent différer quant à leur contenu.

Pour identifier lequel des deux va s'exprimer, ou si l'on préfère l'emporter, il faut introduire les concepts de gène dominant et gène récessif. Un gène dominant s'exprime même si le deuxième gène est différent (état hétérozygote) alors qu'un gène récessif s'exprime seulement si l'autre gène est identique (état homozygote) ou si l'autre gène est absent (chromosome X en présence du chromosome Y). Si l'on revient à la couleur des yeux, le gène brun (dominant) s'exprimera alors que le gène bleu (récessif) ne se sera exprimé qu'en présence d'un autre gène codant pour la couleur bleue.

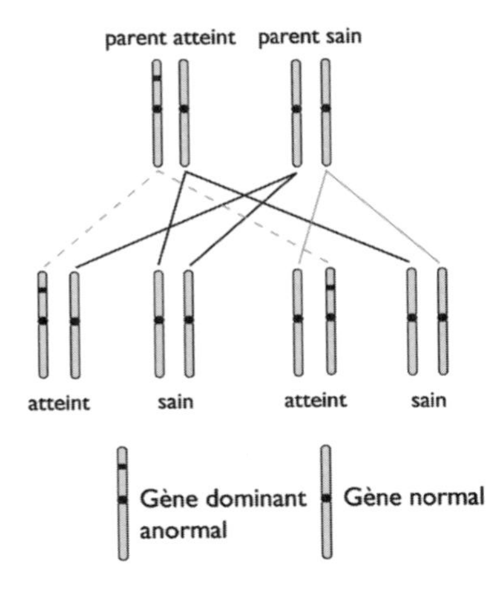

Figure 13
Maladie à transmission autosomale dominante. Un des deux parents est atteint de la maladie : le gène anormal est dominant et ne peut être compensé par l'autre gène. Le risque que l'enfant hérite de ce gène et donc de la maladie est de 50 %.

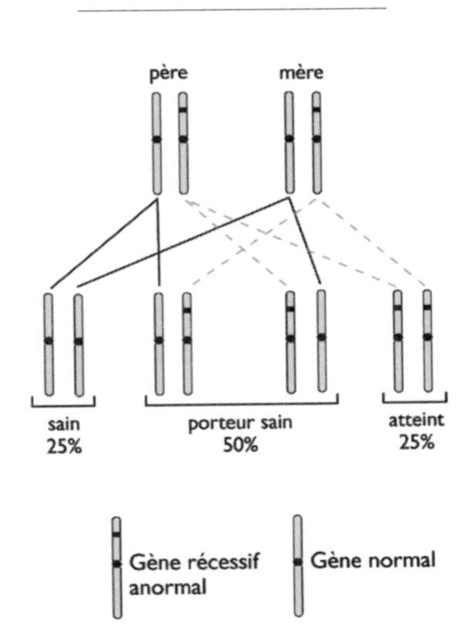

Figure 14
Maladie à transmission autosomale récessive. Le père et la mère possèdent tous deux un gène anormal mais ils ne sont pas atteints de la maladie puisque l'autre gène, normal, compense le gène anormal. Lorsqu'ils ont un enfant, chacun peut donner soit son gène normal, soit son gène anormal. Si l'enfant hérite des deux gènes anormaux, il sera, lui aussi, atteint de la maladie.

Il en va de même pour les mutations ou erreurs génétiques. Celles-ci peuvent être dominantes et s'exprimer même si l'autre gène est normal, ou récessives et s'exprimer seulement si les deux gènes ont la même anomalie. Si un gène muté dominant se transmet d'un parent à son enfant, tous les deux seront atteints de la maladie. Le risque de transmission, si un seul des deux parents est atteint, est de 50 %: soit il transmet le gène anormal, soit le gène normal.

Avec une maladie récessive, il faudra, par contre, que les deux parents soient porteurs du gène anormal et le transmettent à leur enfant pour que celui-ci soit atteint, ce qui correspond à un risque de transmission de 25 %. Par ailleurs, il arrive fréquemment que les parents ayant chacun un gène anormal et un gène normal dans leur propre caryotype ne présentent aucun symptôme de la maladie: on parle alors d'état porteur (ils portent le gène sans être atteints).

Évidemment, la réalité est un peu plus complexe, et plusieurs facteurs peuvent moduler l'étendue des symptômes de la maladie. Parmi ceux-ci, les notions de pénétrance et d'expressivité sont particulièrement importantes dans les syndromes génétiques d'épilepsie.

La pénétrance peut se définir comme la fréquence où la mutation a un impact sur le phénotype, c'est-à-dire les caractéristiques physiques du patient et les manifestations cliniques de la maladie. Ainsi, toutes les mutations n'ont pas la même pénétrance, ce qui veut dire qu'un patient atteint d'une mutation génétique peut présenter des caractéristiques cliniques plus ou moins sévères par rapport à un deuxième patient avec la même mutation génétique.

L'expressivité fait référence à la variabilité du phénotype. Ce qui veut dire que deux patients avec la même anomalie génétique peuvent avoir des manifestations différentes. Par exemple, dans le syndrome GEFS+ (épilepsie généralisée avec convulsions fébriles plus), les personnes atteintes dans la même famille présenteront des types d'épilepsie différents, même s'ils ont tous la même mutation.

Une anomalie génétique peut également être sporadique, c'est-à-dire non transmise par les parents. L'être humain dans son entier est formé lors de la conception par un spermatozoïde et un ovule qui se rencontrent pour ne devenir qu'une cellule qui va par la suite se diviser en des milliards de cellules. Il suffit d'une erreur située au mauvais endroit dans l'ADN, survenant lors des premières divisions et qui ne peut être réparée par les mécanismes de réparation cellulaires, pour que l'enfant qui porte cette nouvelle anomalie génétique développe la maladie.

Épileptogénèse

Depuis une cinquantaine d'années, avec la classification des crises et des syndromes épileptiques, on connaît mieux les manifestations cliniques de l'épilepsie. Mais on comprend encore mal le phénomène neuronal qui va aboutir à une crise convulsive clinique. La génétique a un rôle important à jouer pour améliorer notre compréhension des phénomènes cellulaires anormaux. Comme on l'a vu plus haut, tous les gènes codent pour une protéine spécifique. Si on identifie un gène anormal chez des patients épileptiques, on sait alors que la protéine fabriquée par ce gène est soit anormale, soit absente. Si on trouve ensuite à quoi sert cette protéine au niveau du neurone, on peut alors identifier le mécanisme au niveau cellulaire pour expliquer l'épilepsie. D'un autre côté, en comprenant les mécanismes de l'épilepsie grâce à la recherche fondamentale, on facilite la recherche des gènes anormaux. En effet, si on comprend les mécanismes cellulaires de l'épilepsie, on détermine les protéines impliquées et, par conséquent, les gènes susceptibles d'être mutés, ceci parmi les 25 000 à 40 000 gènes compris dans notre ADN.

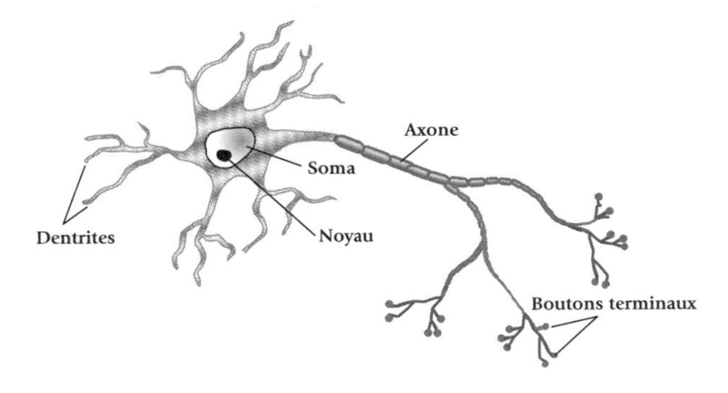

Figure 15
Schéma d'un neurone.

Au niveau cellulaire, l'épilepsie s'explique par une activité électrique anormale des neurones. Le neurone est constitué d'un corps cellulaire, où se trouve le noyau avec les chromosomes, et d'un ou plusieurs prolongements nommés axone et dendrites qui conduisent un signal du corps cellulaire jusqu'au bout de l'axone (signal efférent), ou du bout des dendrites jusqu'au corps cellulaire (signal afférent).

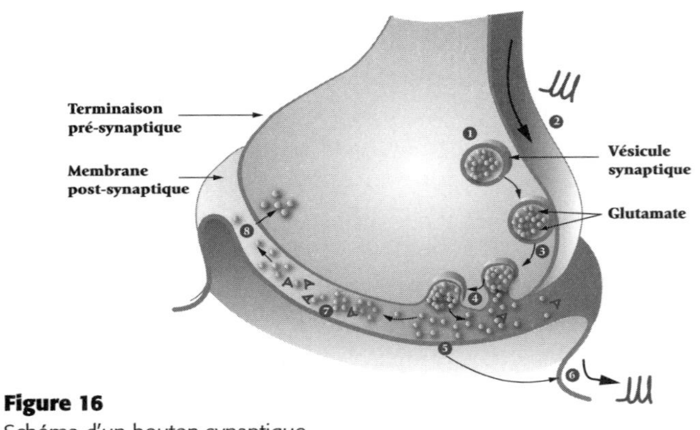

Figure 16
Schéma d'un bouton synaptique.

Les signaux (potentiel d'action) voyagent le long des axones comme un courant électrique dans un fil. Les contacts entre un axone et le neurone se font au niveau de la synapse par l'intermédiaire des molécules appelées neurotransmetteurs. Ces molécules sont relâchées par le neurone pré-synaptique (qui envoie le message), traversent la fente synaptique pour se lier à des récepteurs, des protéines dont la fonction est de recevoir le neurotransmetteur et de transmettre le signal au neurone post-synaptique (qui reçoit le message). Une fois le neurotransmetteur lié, le récepteur est activé, ce qui déclenche un potentiel d'action, comme un choc électrique qui fait partir le courant électrique jusqu'au corps cellulaire transmettant ainsi un message qui va moduler l'activité du deuxième neurone.

1. Stockage du glutamate dans un véhicule synaptique.
2. L'arrivée du potentiel de récepteur dans la terminaison prynaptique.

3. Fusion des véhicules avec la membrane prynaptique.
4. Libération du glutamate dans la fente synaptique.
5. Fixation du glutamate sur les récepteurs de la membrane postsynaptique.
6. Nouveau potentiel de récepteur.
7. Inactivation du glutamate par des enzymes.
8. Recapture du glutamate.

Il y a différents types de récepteurs qui ont chacun un mécanisme propre pour déclencher le potentiel d'action. Un des plus importants lorsque l'on étudie l'épilepsie est le mécanisme des canaux ioniques. Les ions sont des particules chargées électriquement qui, en sortant ou en entrant dans la cellule, changent l'équilibre électrique de la membrane et provoquent un potentiel d'action. Leur passage à travers la membrane doit donc être contrôlé. C'est le rôle des canaux ioniques, qui sont comme des portes qui ne laissent passer les ions que lorsqu'on le leur demande, c'est-à-dire lorsque les récepteurs ont été activés par les neurotransmetteurs. Chaque canal n'accepte qu'un seul type d'ions et est nommé selon celui-ci. Par exemple, le canal sodique ne laisse passer que les ions sodium, alors qu'un canal chlorique n'acceptera que des ions chlore. Par exemple, si une mutation change la fonction du canal sodique, c'est toute la communication entre les neurones qui peut être touchée, menant ainsi à une crise d'épilepsie.

Génétique de l'épilepsie

En épilepsie les études de population ont montré que des facteurs génétiques jouent un rôle chez au moins 40 % des patients épileptiques. Pourtant, la recherche scientifique n'a permis d'identifier des gènes précis que dans un faible pourcentage des cas même si, très régulièrement, les revues médicales révèlent une nouvelle mutation.

Il existe deux situations lorsque l'on considère les syndromes épileptiques : soit l'épilepsie est la seule ou en tout cas la principale manifestation, soit elle fait partie d'un ensemble de symptômes neurologiques, comme un retard intellectuel, une surdité, une cécité, un trouble de démarche, etc. Lorsque l'épilepsie est la seule manifestation, le lien entre anomalie génétique et crise d'épilepsie (corrélation phénotype-génotype) est le plus prometteur pour tenter de comprendre toujours mieux les mécanismes causant l'épilepsie.

Le syndrome familial épileptique le mieux connu est probablement celui de l'épilepsie généralisée avec convulsions fébriles plus (GEFS+), qui a été décrit pour la première fois en 1997. C'est un syndrome autosomique dominant, de pénétrance et d'expressivité variables. L'épilepsie débute dans l'enfance et est caractérisée par des convulsions fébriles atypiques avec parfois des absences, des myoclonies, des convulsions généralisées sans fièvre et, dans les formes les plus graves, une épilepsie myoclonique-astatique ou un syndrome de Dravet (épilepsie myoclonique sévère de la petite enfance). Les crises disparaissent spontanément vers l'âge de 11 ans, sauf dans les cas les plus sévères. Quatre gènes ont été identifiés jusqu'à présent : trois codent pour des sous-unités du canal sodique et le quatrième pour une sous-unité du récepteur GABA A (un récepteur postsynaptique qui ouvre des canaux ioniques chlore). Ces anomalies dérèglent donc les canaux ioniques ; on classe donc ce syndrome parmi les canalopathies.

Comme autres canalopathies, on peut citer le syndrome des convulsions néonatales bénignes familiales, une épilepsie autosomique dominante, caractérisée par des convulsions débutant à quelques jours de vie qui cessent spontanément après quelques semaines ou quelques mois de vie. Deux mutations du gène codant pour des sous-unités du canal potassique ont été identifiées.

Comme dernier exemple, on peut mentionner l'épilepsie frontale nocturne dominante, qui est le premier gène à avoir été identifié dans les canalopathies. Les crises commencent dans l'enfance, persistent souvent à l'âge adulte et sont caractérisées par des mouvements désordonnés survenant uniquement la nuit. Deux mutations ont été retrouvées dans les sous-unités du récepteur neuronal acétylcholine nicotinique, un récepteur qui lui aussi régule les canaux ioniques.

Les exemples précédents illustrent la situation où certaines anomalies génétiques isolées peuvent conduire à un syndrome épileptique particulier. Toutefois, on réalise de plus en plus que certains syndromes épileptiques ne se résument pas nécessairement à un seul gène défectueux, mais impliquent plusieurs facteurs génétiques et environnementaux. Les épilepsies généralisées idiopathiques en sont un bon exemple. Elles représentent environ 30 à 40 % des épilepsies de l'enfance et de l'adolescence, et depuis longtemps on leur reconnaît une incidence familiale élevée. Dans certaines familles, il semble bien que l'épilepsie s'explique par des erreurs exprimées dans plusieurs gènes chez la même personne ; on parle alors de maladies polygéniques. Ces anomalies, lorsque combinées, amènent les neurones à décharger spontanément ou, encore, elles les rendent « trop » sensibles aux stimuli externes. Deux syndromes longuement étudiés illustrent bien la problématique.

L'épilepsie myoclonique juvénile, dans laquelle plusieurs gènes ont été identifiés, est caractérisée par des myoclonies et des convulsions au réveil. Une mutation dans une sous-unité du récepteur GABA A a été démontrée dans une famille québécoise. Le gène du canal calcique a aussi été impliqué. Par ailleurs, des mutations dans deux gènes n'impliquant pas les canaux ioniques ont été rapportées, témoignant ainsi des divers mécanismes possibles dans l'épileptogénèse.

Une autre forme fréquente d'épilepsie généralisée, l'épilepsie type absence de l'enfance, a elle aussi été minutieusement étudiée. Cette épilepsie débute vers 7 ans et peut être associée à des crises tonico-cloniques, surtout à l'adolescence. L'histoire familiale est positive dans 15 à 40 % des cas. Plusieurs gènes ont été décrits : le canal calcique, le canal chlore et le récepteur GABA A, soulignant encore une fois que le type d'épilepsie ne permet pas forcément de dire quel gène sera impliqué.

L'autre grande famille des syndromes épileptiques comprend les maladies neurologiques dont l'épilepsie, souvent réfractaire, n'est qu'un symptôme parmi d'autres. Les manifestations peuvent être présentes dès la naissance, apparaître durant l'enfance ou parfois uniquement à l'âge adulte dans les formes moins sévères. Les symptômes, une fois présents, peuvent rester relativement stables ou s'aggraver et mener à une détérioration progressive allant jusqu'au décès. C'est le cas des épilepsies myocloniques progressives, qui comprennent un ensemble de maladies neurologiques dégénératives, heureusement rares. Dans ce type de maladies neurologiques, on retrouve aussi les malformations du cortex cérébral, comme la sclérose tubéreuse ou la lissencéphalie. La sévérité de leur atteinte est plus variable. Dans la sclérose tubéreuse, les deux gènes trouvés sont importants dans la régulation de la vie cellulaire, alors que dans la lissencéphalie, plusieurs gènes impliqués dans la programmation de la formation du cortex cérébral ont été identifiés.

Résistance médicamenteuse

De longue date il a été reconnu qu'il y a des variations dans la réponse aux anti-épileptiques selon les patients. On sait que chez environ 30 % des patients épileptiques, la maladie persiste malgré une prise régulière des médicaments prescrits, et ce même après essais de plusieurs médicaments différents. Dans les dernières années, il a été démontré que des différences génétiques pouvaient influencer la réponse aux anti-épileptiques. Il peut s'agir d'anomalies génétiques comme une mutation, ou simplement d'une information génétique qui prédispose à une mauvaise réponse. Par analogie, cette mauvaise réponse s'apparente à celle de la peau exposée au soleil. Une couleur claire de la peau prédispose à une réaction plus marquée au soleil (coups de soleil), sans que les gènes qui codent pour la couleur de la peau soient anormaux. Pour ce qui est des réponses aux médicaments, plusieurs mécanismes semblent expliquer ce phénomène.

Premièrement, les gènes responsables de cette résistance au traitement peuvent concerner l'absorption et le transport des médicaments. On a découvert en effet des protéines que l'on appelle *multidrug-transporter* qui ont comme fonction de transporter le médicament jusqu'au cerveau et ensuite de lui faire traverser la barrière hémato-encéphalique, une structure qui protège le cerveau des molécules qui cheminent dans le sang et qui pourraient être toxiques pour les neurones. Certains patients pourraient avoir des protéines qui fonctionnent mal ou qui ne sont pas programmées pour transporter certaines molécules, comme les anti-épileptiques.

Deuxièmement, le problème peut se situer au niveau des protéines qui s'occupent de métaboliser le médicament, c'est-à-dire de l'éliminer. Ces enzymes se retrouvent surtout dans le foie. Si l'enzyme responsable d'éliminer un médicament fonctionne trop bien, le médicament va être éliminé trop rapidement et ne peut pas agir sur les neurones. Au contraire, si l'enzyme travaille trop lentement, l'anti-épileptique n'est pas éliminé normalement et le patient risque d'avoir plus d'effets secondaires et même d'être intoxiqué. Ce mécanisme a été démontré avec le Dilantin (phénytoïne)

Troisièmement, le site d'action des médicaments peut être modifié. La majorité des anti-épileptiques agissent sur les canaux ioniques, le canal sodique particulièrement. Si celui-ci n'est pas fonctionnel à cause d'une mutation qui a changé sa configuration, l'anti-épileptique ne pourra pas s'y attacher et n'aura donc aucun effet sur la dysfonction du canal sodique. Parfois, au contraire, la mutation transforme le canal ionique de telle sorte que le médicament peut s'y attacher de manière plus efficace. En conséquence, on observera un meilleur contrôle des crises d'épilepsie. Ce phénomène a été démontré notamment chez certains patients avec le syndrome GEFS+ et l'épilepsie frontale nocturne autosomique dominante.

Toutes ces découvertes permettent de mieux comprendre l'épileptogénèse, mais fournissent également des nouvelles pistes pour découvrir de nouveaux médicaments capables d'aider les médecins à mieux contrôler les crises d'épilepsie.

Approche du patient

Les découvertes récentes en génétique sont passionnantes, mais ne permettent pas encore une application à grande échelle. On ne peut pas encore penser prendre une prise de sang chez un enfant épileptique qui permettrait de trouver quelles sont les anomalies génétiques responsables et de lui donner alors le traitement qui correspondrait à cette anomalie. La génétique reste un champ de recherche, et il faut se baser sur nos connaissances cliniques pour poser un diagnostic le plus précis possible, et, si cela est justifié, de référer l'enfant et sa famille aux spécialistes qui travaillent dans ce domaine pour éventuellement essayer de poser un diagnostic génétique.

Quels sont les indices recherchés ? Évidemment, tout d'abord l'histoire familiale. Bien que cela semble simple, l'histoire familiale n'est pas toujours facile à obtenir: les autres membres de la familles atteints peuvent être des parents lointains que l'on ne voit jamais; ils peuvent avoir des manifestations différentes; les symptômes ont pu se produire uniquement dans l'enfance et avoir été oubliés; les personnes qui pourraient nous donner des informations sont décédées; il y a eu adoption; l'épilepsie étant encore malheureusement une maladie stigmatisée, dont les gens ne veulent pas parler, l'histoire familiale peut être taboue et ne pas être connue ou divulguée, etc. Et comme on l'a vu, une histoire négative n'élimine pas forcément une anomalie génétique sporadique.

Ensuite, il faut bien caractériser le type d'épilepsie dont souffre l'enfant et les autres symptômes qui peuvent être déjà présents ou se développer par la suite. On compare ces données avec les connaissances actuelles des syndromes épileptiques connus pour voir si cet ensemble de manifestations précises n'a pas déjà été relié à une anomalie génétique. On s'appuie également sur l'imagerie, le plus souvent une résonance magnétique et l'électroencéphalogramme.

Enfin, on considère aussi la réponse aux anti-épileptiques et on suit le patient pour voir si de nouveaux indices nous permettent de reconsidérer le diagnostic.

La recherche dans l'avenir

Comme on vient de le voir, les dernières années ont été riches de découvertes dans le domaine de la génétique en épilepsie, ouvrant des portes pour expliquer les mécanismes de l'épilepsie, poser des diagnostics plus précis, améliorer les possibilités de traitement. Mais elles ont fait surgir également de nouvelles questions. Comment des mutations différentes d'un même gène peuvent donner le même type d'épilepsie? Pourquoi un syndrome épileptique peut s'expliquer par des anomalies dans différents gènes? Par quels mécanismes certains patients répondent mieux que d'autres aux traitements actuels? Est-il possible que plusieurs gènes atteints expliquent chacun une partie de la présentation du syndrome: un gène pour l'âge de début, un autre pour le type de crise, un autre pour la réponse aux médicaments? Est-il possible de «guérir» un gène muté pour ainsi «guérir» l'épilepsie? Ces interrogations vont assurément permettre aux chercheurs en génétique de continuer à aider les cliniciens pour tenter de toujours mieux comprendre la maladie et la traiter plus efficacement.

Références

BIRCA A., N. GUY, I. FORTIER, P. COSSETTE, A. LORTIE et L. CARMANT. « Genetic influence on the clinical characteristics and outcome of febrile seizures-a retrospective study ». *European Journal of Paediatric Neurology* 2005 9 : 339-345.

CALLENBACH P.M., A.M. VAN DEN MAAGDENBERG, R.R. FRANTS et O.F. BROUWER. « Clinical and genetic aspects of idiopathic epilepsies in childhood ». *European Journal of Paediatric Neurology* 2005 9 : 91-103.

COSSETTE P., A. LORTIE, M. VANASSE, J.M. SAINT-HILAIRE et G.A. ROULEAU. « Autosomal dominant juvenile myoclonic epilepsy and GABRA1 ». *Advances in Neurology* 2005 95 : 255-263.

KELSO A.R.C. et H.R. COCK. « Advances in epilepsy ». *British Medical Bulletin* 2004 72 : 135-148.

KRAMPFL K., S. MALJEVIC, P. COSSETTE, E. ZIEGLER, G.A. ROULEAU, H. LERCHE et J. BUFLER. « Molecular analysis of the A322D mutation in the GABA receptor alpha-sub-unit causing juvenile myoclonic epilepsy ». *European Journal of Neuroscience* 2005 22 : 10-20.

SHAHWAN A., M. FARRELI et N. DELANTY. « Progressive myoclonic epilepsies : a review of genetic and therapeutic aspects ». *Lancet Neurology* 2005 4 : 239-248.

TURNBULL J., H. LOHI, J.A. KEARNEY, G.A. ROULEAU, A.V. DELGADO-ESCUETA, M.H. MEISLER, P. COSSETTE et B.A. MINASSIAN. « Sacred disease secrets revealed : the genetics of human epilepsy ». *Human Molecular Genetics* 2005 14 : 2491-2500.

Chapitre 5

Le traitement médical du patient épileptique

▼

Par Guy D'Anjou et Anne Lortie

Le diagnostic de l'épilepsie peut parfois être difficile à poser. Lorsque le médecin pose ce diagnostic, l'initiation d'un traitement antiépileptique peut également soulever plusieurs questions.

La décision de traiter un patient repose principalement sur un élément : existe-t-il un risque que ce patient refasse des crises convulsives ? Si le patient a fait une crise convulsive dans un contexte particulier (hypoglycémie, déshydratation lors d'une gastro-entérite, etc.), dans lequel le risque de récidive est faible, aucun traitement n'est indiqué. Il faut plutôt enseigner aux parents et à l'enfant comment éviter ce genre de situation qui peut provoquer une crise convulsive. Si le patient fait une crise convulsive dans le contexte d'une épilepsie, le traitement antiépileptique devient alors une option. Il sera proposé si on considère que l'enfant risque de présenter d'autres crises.

Certaines conditions épileptiques sont très claires, et on peut sans grand risque d'erreur prévoir que les crises sont à risque élevé de se reproduire (par exemple les absences) ou à risque moins élevé (une crise tonico-clonique généralisée au réveil chez un adolescent en parfaite santé). Selon ce risque, l'indication d'un traitement est assez claire. Par contre, dans d'autres situations, le risque de récidive est beaucoup plus difficile à évaluer. Souvent, on ne sait pas exactement quelle est la cause de l'épilepsie et après une crise unique on ne peut prédire s'il y en aura d'autres et dans quel délai. Dans ces conditions, nous préférons d'habitude suivre l'évolution de l'enfant et retarder l'introduction du traitement. Il peut arriver en effet qu'il n'y ait pas récidive de crises ou bien qu'elles surviennent de façon tellement espacée (plus de 1 an par exemple) qu'elle ne justifie pas de traitement[1].

Il faut bien comprendre que les antiépileptiques ne guérissent pas l'épilepsie et ne raccourcissent pas la durée de la maladie. Ils sont prescrits pour empêcher le patient de faire des crises et pour lui permettre d'avoir une vie la plus normale possible. De façon très simpliste, on peut dire que l'épilepsie est due à un déséquilibre de l'activité cérébrale, dans une région du cerveau ou dans tout le cerveau, selon que l'épilepsie est focale ou généralisée. Les cellules du cerveau, ou neurones, fonctionnent en gardant un équilibre entre une excitation et une inhibition. Les neurones impliqués dans le processus épileptique sont soit trop excités, soit pas assez inhibés. Ce déséquilibre peut généralement être enregistré sur l'EEG d'un patient épileptique, sous forme d'activité épileptique ou pointes épileptiques. Quand cette activité anormale s'intensifie, elle se propage à des millions de neurones qui se mettent alors à fonctionner de façon synchrone (en même temps) et excessive. S'il y a suffisamment de neurones impliqués, il se produit une crise convulsive clinique. Les antiépileptiques ont comme fonction soit d'empêcher les neurones d'être trop excités, soit de les aider à être inhibés, soit de les empêcher de se regrouper pour fonctionner tous ensemble.

Lorsqu'on amorce un traitement antiépileptique, on ne peut garantir que le patient ne fera plus de crises. Il n'existe malheureusement pas en médecine de traitements qui puissent offrir une telle garantie, quelle que soit la condition médicale du patient. On peut cependant rassurer les parents et l'enfant puisque dans environ 70 à 80 % des cas, l'épilepsie sera bien contrôlée (pas de crises ou des crises très occasionnelles) avec un seul médicament. Pour y arriver, il faut parfois changer de

1. Ce critère appartient à la définition courante de l'épilepsie, à savoir la survenue d'au moins 2 crises convulsives non provoquées. Cette définition a dernièrement était modifiée par la Ligue contre l'épilepsie, qui propose maintenant que l'épilepsie soit définie par une seule crise. La nouvelle définition ne propose pas de changement quant au traitement et dans ce sens l'équipe de la Clinique d'épilepsie de Sainte-Justine ne modifie pas la façon dont nous traitons les patients épileptiques.

médicament et il faut souvent ajuster les doses en fonction de la réponse du patient et de son poids (en pédiatrie les médicaments sont toujours calculés en fonction de l'âge et du poids du patient). Malheureusement, dans 20 à 30 % des cas, l'épilepsie est difficile à contrôler et il faut faire plusieurs essais de traitements, et même en combiner deux ou trois pour tenter d'obtenir une rémission des crises. Pour ces patients qui ont une épilepsie rebelle, d'autres types de traitements peuvent alors être proposés (voir le chapitre 6).

Lorsqu'un traitement antiépileptique est amorcé, il est donné pour une période de deux ans et peut être arrêté si l'enfant ne refait pas de crises au cours de cette période et si l'EEG redevient ou demeure normal (il existe des exceptions, mais qui ne seront pas discutées ici). Ce délai de deux ans est établi depuis une vingtaine d'années. Avant, les patients étaient traités pour au moins cinq ans, mais on s'est rendu compte que ce délai était le plus souvent trop long pour rien. Par la suite, on a essayé de traiter les patients beaucoup moins longtemps, soit de 6 à 18 mois, mais le taux de récidive de convulsions à l'arrêt du traitement était alors beaucoup trop élevé. C'est la raison pour laquelle la durée du traitement est maintenant établie à deux ans. On sait cependant qu'il existe des types d'épilepsie dont le traitement doit être plus long, parfois même à vie (épilepsie de Janz, sclérose médiale de l'adulte non opérable).

Lorsque le médecin débute un traitement, il doit considérer différents aspects dans le choix de la médication : le type d'épilepsie du patient, son âge, la possibilité de contre-indications dues à l'état de santé de l'enfant incluant la prise concomitante de d'autres médicaments afin d'éviter les interactions médicamenteuses. Il doit viser autant que possible à contrôler les crises avec un seul antiépileptique (monothérapie) en augmentant si nécessaire la posologie du médicament jusqu'à l'obtention du contrôle des crises, la survenue d'effets secondaires ou l'atteinte de la posologie maximale recommandée.

Le succès d'un traitement antiépileptique repose en grande partie sur l'analyse et l'investigation des manifestations épileptiques de chaque patient. Le médecin doit d'abord s'assurer qu'il a bien identifié le type de crises du patient. En effet, certains types de crises répondent mieux à certains antiépileptiques et surtout peuvent être aggravées par d'autres. Le médecin doit aussi comprendre dans quel contexte surviennent les crises. S'agit-il de crises bénignes, chez un enfant tout à fait normal, de crises résultant d'une atteinte cérébrale (par exemple de séquelles d'une anoxie néonatale ou d'un traumatisme crânien, ou même d'une maladie évolutive) ou de crises survenant dans le contexte d'un syndrome épileptique ? Il est important d'identifier les syndromes épileptiques, car leur évolution, leur pronostic et leur traitement sont souvent connus. Un patient atteint d'un syndrome épileptique peut commencer par avoir un type de crises, qui peut évoluer ensuite vers un deuxième type, puis un troisième et parfois plus. L'évolution est le plus souvent spontanée, mais peut être provoquée par certains médicaments, d'où l'importance de s'efforcer de comprendre si le patient est effectivement atteint d'un syndrome spécifique.

Chez ces patients atteints d'un syndrome épileptique dont les types de crises peuvent changer (qui sont heureusement la minorité des patients), il faut accepter que le traitement de l'épilepsie se fasse un peu en montagnes russes. Un traitement est efficace durant un certain temps puis les crises changent et l'enfant se met à refaire des crises : il faut alors changer de médicament.

Nous allons commencer par aborder le traitement antiépileptique, envisagé selon le type de crise que présente le patient.

Crises partielles et/ou secondairement généralisées

La plupart des médicaments disponibles sur le marché peuvent être prescrits pour le traitement des crises partielles avec ou sans généralisation secondaire. On prescrit cependant le plus souvent le carbamazépine, l'acide valproïque ou le clobazam (cette molécule est beaucoup plus utilisée en monothérapie chez l'enfant que chez l'adulte). La lamotrigine, le topiramate, l'oxcarbamazépine, le levitiracetam et le gabapentin vont ensuite être utilisés seuls ou en combinaison en deuxième intention, si les trois premiers médicaments n'ont pas été efficaces. La prégabaline, nouvelle depuis janvier 2006, est encore peu utilisée mais elle a les mêmes indications que les médicaments de deuxième intention. La phénytoïne et le phénobarbital devraient être réservés aux cas rebelles chez qui les autres traitements ont été inefficaces, ceci en raison de leurs effets secondaires plus gênants. Ils sont aussi utilisés lorsqu'un traitement intra veineux est nécessaire.

Crises d'emblée généralisées

Pour les *absences*, chez le jeune enfant, l'éthosuximide est généralement considéré comme un bon choix tout comme l'acide valproïque et la lamotrigine. Cependant, pour l'enfant plus âgé et l'adolescent, l'acide valproïque et la lamotrigine sont les médicaments de premier choix puisqu'ils contrôlent également les autres types de crises qui peuvent être associés aux absences à cet âge là, à savoir les myoclonies et les crises tonico-cloniques généralisées. Un médicament de la classe des benzodiazepines, tels le nitrazepam ou le clonazepam, peut parfois être prescrit dans les cas d'absences réfractaires. Les absences sont aggravées par la carbamazépine, le vigabatrin et le phénytoin.

Les *myoclonies* répondent généralement à l'acide valproïque et au clonazépam, mais ce sont malheureusement des crises qui sont parfois très difficiles à contrôler. Elles sont aggravées par la carbamazépine et le vigabatrin. La lamotrigine peut soit améliorer soit aggraver les myoclonies.

Le vigabatrin est utilisé en premier lieu dans le traitement des *spasmes infantiles*. Il est à noter que l'utilisation de ce traitement pour les spasmes infantiles n'est pas repérée dans la littérature médicale américaine (États-Unis) puisque nos voisins du sud ne peuvent utiliser ce médicament qui n'est pas autorisé chez eux. Si les spasmes ne répondent pas au vigabatrin, du topiramate à fortes doses et du nitrazépam peuvent être essayés. Finalement, en cas d'échec, les stéroïdes (sous forme d'ACTH ou de prednisone) sont alors prescrits. La carbamazépine aggrave ou peut même déclencher les spasmes infantiles.

Pour les *crises tonico-cloniques généralisées*, les agents recommandés sont les mêmes que pour les crises secondairement généralisées.

Nous allons maintenant discuter des différents antiépileptiques disponibles sur le marché en considérant les principes de base décrits plus haut. Ceux-ci sont présentés de façon chronologique, du plus vieux aux plus récents.

Phénobarbital®

Le phénobarbital® est le plus ancien de tous les médicaments antiépileptiques encore utilisés. Il a été commercialisé en 1913. Bien qu'efficace dans les crises partielles et généralisées, le phénobarbital est surtout utilisé chez le nouveau-né et le nourrisson. On a en effet rapporté des effets nocifs sur le développement cognitif chez les enfants plus âgés, de sorte qu'on évite généralement de prescrire du phénobarbital après la période néonatale, préférant utiliser des antiépileptiques plus récents.

Les effets secondaires les plus fréquemment rencontrés sont la somnolence, l'irritabilité et l'hyperactivité (qui peut se manifester chez 20 à 40 % des enfants), l'hypotonie chez le nourrisson et l'hypoventilation lorsque administré par voie intraveineuse.

La posologie recommandée chez les enfants est de 3 à 5 mg / kg /jr donnés en deux doses. Le médicament se présente sous deux formes différentes : élixir de 15 mg/5 ml ou 125 mg/5 ml et comprimés de 15, 30, 60 et 100 mg.

Le phénobarbital est aussi utilisé dans le traitement parentéral de l'état de mal épileptique (voir ci-après).

Phénytoïne (Dilantin®)

Il s'agit d'un médicament utilisé pour la première fois en 1938 et du premier médicament ayant un effet antiépileptique sans effet sédatif important. Il est utilisé dans les crises partielles et secondairement généralisées.

La phénytoïne a plus d'effets secondaires que les antiépileptiques plus récents. D'abord des effets secondaires au niveau du système nerveux central caractérisés par de la somnolence ou de l'irritabilité ou plus rarement par des troubles d'équilibre et une vision trouble. Ces symptômes sont souvent transitoires mais leur persistance peut être due à une intoxication médicamenteuse. En pédiatrie, la phénytoïne est moins populaire à cause des effets cosmétiques qu'elle peut entraîner : apparition de poils et augmentation du volume des gencives. Ces effets disparaissent cependant à l'arrêt de la médication.

La posologie recommandée chez les enfants est de 5-8 mg/kg/jr en deux doses alors que chez les adultes elle est de 100 mg trois fois par jour. Cependant, dans certaines conditions comme chez le patient qui néglige de prendre son traitement, la médication peut être prise en une seule dose de 300 mg au coucher. Trois formes du médicament sont disponibles: élixir de 125 mg/5ml, comprimé pour enfants de 50 mg et capsule de 100 mg.

Cette médication est aussi fréquemment utilisée dans le traitement de l'état de mal épileptique par injection intraveineuse (voir en page 99).

Ethosuximide (Zarontin®)

Cet agent est utilisé depuis 1957 chez le jeune enfant présentant des absences. Son efficacité est similaire à celle de l'acide valproïque mais contrairement à celui-ci, l'éthosuximide n'est pas efficace pour contrôler les myoclonies et les crises généralisées qui peuvent parfois survenir chez l'enfant plus âgé ou l'adolescent. La posologie recommandée est la même que pour celle de l'acide valproïque. L'ethosuximide est également efficace dans certains types de crises atoniques.

Cette médication est généralement bien tolérée et produit rarement des effets secondaires sous forme de fatigue, d'étourdissements et de céphalées, ainsi que des symptômes digestifs et une tendance aux saignements.

On peut trouver le médicament sous deux formes: élixir de 250 mg/5 ml et capsule de 250 mg.

Carbamazépine (Tégrétol®)

La carbamazépine a été synthétisée en 1952 et son utilisation est devenue universelle dans les années 1960. En pédiatrie, cette médication est très populaire en raison de son efficacité, de sa présentation sous forme de comprimés croquables et du fait qu'elle est généralement bien tolérée. Elle est utilisée dans les crises partielles et secondairement généralisées. Cette médication ne doit pas être utilisée chez les patients présentant des myoclonies car elle peut provoquer une augmentation de ces crises. De plus, elle ne doit pas être prescrite aux enfants risquant de développer des spasmes infantiles car elle peut précipiter leur apparition.

La carbamazepine peut entraîner des effets secondaires qui se manifestent particulièrement par de la somnolence. Les parents peuvent également rapporter une diminution de la concentration avec ou sans hyperactivité. Parfois, certains patients prennent du poids de façon significative sous carbamazépine. Sur le plan hématologique ou biochimique, la carbamazépine peut donner une neutropénie (baisse des globules blancs) et de façon moins fréquente une augmentation des enzymes hépatiques. Parfois, on observe également une diminution de la concentration sanguine de sodium (hyponatrémie). Ces changements sont habituellement silencieux sur le plan clinique. Dans ce contexte, un bilan sanguin avec dosage du médicament peut être effectué en général une semaine après avoir obtenu la dose de croisière, et être répété au besoin.

Cette médication doit être introduite à faible dose et être augmentée progressivement. Ainsi, chez les enfants, la posologie initiale recommandée est de 10 mg/kg/jr divisés en trois prises (TID), dose qui peut être augmentée de 5 mg/kg/jr à chaque semaine pour atteindre une dose d'entretien de 15 à 20 mg/kg/jr donnée TID. Chez l'enfant plus âgé et chez l'adolescent, la dose peut être divisée en deux prises par jour, en utilisant les comprimés à libération prolongée qui doivent être avalés sans être croqués. La dose maximale est celle de l'adulte, soit 600 mg deux fois par jour.

Quatre formes sont disponibles : élixir de 100 mg/5ml (dont la bouteille doit être agitée de façon énergique pour assurer une bonne distribution du médicament dans la suspension), comprimé à croquer de 100 mg, comprimé de 200 mg et comprimé à libération prolongée CR de 200 et 400 mg.

Acide valproïque (Dépakene®, Epival®)

L'acide valproïque a été introduit en France en 1967, mais n'a commencé à être utilisé en Amérique du Nord qu'en 1978. Cet agent est souvent un traitement utilisé dans les crises partielles avec ou sans généralisation secondaire et également dans les crises primaires généralisées.

Médication très appréciée pour son efficacité et son large spectre d'action, elle comporte néanmoins beaucoup d'effets secondaires potentiels. Les plus fréquents sont : crampes modérées à l'abdomen ou à l'estomac, anorexie, état d'excitation, agitation, irritabilité, tremblements aux mains et aux bras, gain ou perte de poids. Parmi les effets secondaires rarement rencontrés on retrouve : hépatite toxique qui peut être très grave, élévation de l'ammoniac sérique, diarrhée, perte de cheveux, nausée et vomissements, effets ophtalmologiques (diplopie, nystagmus), inhibition de l'agrégation ou baisse des plaquettes, constipation, étourdissements, somnolence, maux de tête, éruption cutanée. Un bilan sanguin avec formule sanguine, bilan hépatique et dosage de l'acide valproïque, doit être effectué en général une semaine après avoir obtenu la dose d'entretien. Par la suite, le bilan sanguin doit être répété si le patient se plaint de douleurs abdominales sans constipation, de manque d'appétit ou s'il se fait plus facilement que normalement des ecchymoses (bleus sur la peau).

Concernant l'hépatite toxique, certains facteurs provoquant une prédisposition ont été identifiés : polythérapie pour les enfants âgés de moins de 2 ans et pour ceux qui présentent une encéphalopathie. Cette médication doit aussi être évitée chez les patients ayant une maladie métabolique. Finalement, fait à noter, une élévation asymptomatique de l'ammoniac sans modification du bilan hépatique ne justifie pas l'arrêt de la médication.

Comme la carbamazépine, le traitement à l'acide valproïque est habituellement amorcé à faible dose, qu'on augmente progressivement. Ainsi, chez les enfants, la posologie initiale recommandée est de 10 mg/kg/jr divisés en trois fois (TID), dose qui peut être augmentée de 5 mg/kg/jr à chaque semaine pour atteindre une dose d'entretien de 15 à 20 mg/kg/jr administrée TID. La dose maximale recommandée est de 500 mg TID ou de 60 mg/kg/jr. Cette médication peut aussi être administrée par voie parentérale (l'Épiject) et peut être très utile dans l'état de mal épileptique, surtout généralisé d'emblée comme les absences ou les myoclonies.

L'acide valproïque est disponible sous forme de Depakene® en comprimés de 250 ou 500 mg et en élixir de 250 mg/5 ml et sous forme d'Épival®. Ce dernier vient en comprimés de 125, 250 et 500 mg.

Benzodiazépines

Les benzodiazépines sont une classe d'antiépileptiques développés en 1933. Leur première utilisation clinique a eu lieu en 1960 en tant qu'anxiolytiques et leur première utilisation en tant qu'antiépileptiques eut lieu en 1961 pour le diazepam (Valium®) et en 1963 pour le nitrazepam (Mogadon®). La première benzodiazépine à être synthétisée en tant qu'antiépileptique a été le clonazepam (Rivotril®) en 1970. Il est maintenant également utilisé comme anxiolytique. Le clobazam (Frisium®), dont la structure chimique est différente des benzodiazépines classiques, a été synthétisé en 1979, comme antiépileptique.

1- Diazepam (Valium®)

Le diazepam est maintenant uniquement utilisé comme médication à donner en cas d'urgence pour arrêter rapidement une crise qui se prolonge (état de mal épileptique, voir en page 99) ou des crises répétées. Il est utilisé en milieu hospitalier par voie intraveineuse ou par les parents sous forme de gel qui se donne en intrarectal (Diastat®). Le gel de Valium se donne donc en dehors de l'hôpital lorsque l'enfant fait une crise de plus de cinq minutes, ou lorsqu'il fait des crises répétées. La dose est calculée par le médecin et les parents injectent une seringue de 5, 10 ou 15 mg, selon les recommandations du médecin. En général, les parents sont tenus d'amener leur enfant en milieu hospitalier après avoir donné du Diastat®, pour qu'il soit évalué. Pour les enfants chez qui le Diastat® est souvent donné, le déplacement à l'hôpital n'est pas toujours nécessaire, mais les parents doivent communiquer avec leur médecin pour l'aviser.

2- Nitrazépam (Mogadon®)

Il s'agit d'une benzodiazépine utilisée dans le traitement prophylactique des convulsions fébriles ou, à l'occasion, dans les épilepsies généralisées réfractaires.

On rapporte surtout la somnolence comme effet secondaire. Les enfants peuvent également avoir une démarche instable, voire ébrieuse. Il faut alors les surveiller car ils risquent de tomber.

La posologie recommandée est 0,25 à 0,5 mg/kg/jr en trois doses et la médication est donnée en présence d'IVRS, infection des voies respiratoires supérieures (comme un rhume ou une otite), ou de tableau fébrile documenté. Fait à noter, la médication peut ne pas être efficace du fait que la convulsion est parfois (dans 15 à 20 % des cas) le premier symptôme annonçant la fièvre. La médication est donc dans ce contexte utilisée pour prévenir d'autres convulsions lors de la même poussé de fièvre. Pour le traitement des épilepsies généralisées, la posologie est de 0.5 à 1 mg/kg/jr, toujours en trois doses.

La forme disponible du médicament est le comprimé de 5 mg ou l'élixir de 1 mg/ml.

3- Clonazépam (Rivotril®)

Cette autre benzodiazépine est utilisée dans le traitement des spasmes infantiles et également dans les myoclonies. Elle peut aussi être prescrite pour le traitement des crises généralisées, dont les absences rebelles, et, beaucoup plus rarement, pour les crises partielles complexes.

On rapporte surtout la somnolence comme effet secondaire. Il arrive également que les enfants deviennent très agités, aient un très mauvais contrôle de leurs émotions et soient beaucoup plus impulsifs et colériques.

La posologie est de 0,1 à 0,2 mg/kg/jr en deux ou trois doses, selon l'efficacité et la tolérance. On ne dépasse pas 6 mg, qui est la dose maximale adulte.

Sur le marché, des comprimés de 0,5 et 2 mg sont disponibles.

4- Clobazam (Frisium®)

Agent utilisé dans les crises partielles et secondairement généralisées. Chez les adultes, cette médication est souvent prescrite comme adjuvant, alors qu'en pédiatrie elle est utilisée et peut être efficace en monothérapie.

Outre la somnolence, on rapporte parfois comme effet secondaire de l'irritabilité, une hyperactivité et une diminution de la concentration. De plus, une hypersalivation par hypotonie des muscles oro-pharyngés est rapportée, surtout chez le patient encéphalopathe.

Chez les enfants, selon leur âge ou leur poids, la posologie initiale est de 5 à 10 mg/jour. Vu la somnolence parfois associée la prise unique du médicament au coucher est parfois privilégiée, surtout au début du traitement. La dose d'entretien est d'environ 1 mg/kg/jr et la dose maximale de 2 mg/kg/jr. Si la posologie doit être augmentée, la dose quotidienne doit être prise en deux ou trois fois.

Cet agent n'est pas disponible sur le marché américain, et au Canada une seule forme est disponible, soit le comprimé de 10 mg.

Lamotrigine (Lamictal®)

Comme beaucoup des nouveaux antiépileptiques, la lamotrigine a d'abord été utilisée chez les patients avec une épilepsie rebelle, dont les patients avec syndrome de Lennox-Gastaut. Elle a donc été utilisée initialement pour le traitement des crises partielles et secondairement généralisées. Cette médication a par la suite été prescrite pour les crises généralisées et semble être supérieure aux autres agents pour les crises d'origine frontale. Dans les épilepsies rebelles, la lamotrigine en association avec l'acide valproïque permet parfois d'obtenir un meilleur contrôle. Ce médicament peut être également prescrit dans l'épilepsie primaire généralisée, par exemple dans les absences. Il doit être utilisé avec prudence dans les épilepsies myocloniques. En effet, bien que dans une bonne proportion l'état des patients présentant des myoclonies s'est amélioré avec la lamotrigine, certains patients voient au contraire leurs myoclonies s'aggraver lorsque ce médicament est prescrit.

Parmi les effets secondaires, le syndrome de Steven-Johnson est le plus redouté. Il s'agit d'une réaction cutanée gravissime, se manifestant sous forme d'un érythème polymorphe (rougeurs de différents aspects) touchant tant la peau que les muqueuses (bouche, yeux, organes génitaux). Il s'accompagne de fièvre, de faiblesse et d'une adénopathie (gonflement des ganglions). Il est rarissime et survient lorsque la médication est introduite trop rapidement, surtout lorsque le patient prend déjà de l'acide valproïque. Parfois les patients rapportent des malaises digestifs, des céphalées, des étourdissements, de l'insomnie et des tremblements. Rarement des changements peuvent être notés au niveau des cellules sanguines (anémie, diminution des plaquettes).

Cet agent est habituellement introduit à faible dose qu'on augmente progressivement, ceci pour éviter de développer le syndrome de Steven-Johnson. La dose initiale recommandée est de 0,6 mg/kg/jr donné deux fois par jour, dose qui peut être augmentée de 0,6 mg/kg/jr à toutes les deux semaines pour atteindre une dose d'entretien de 5 mg/kg/jr. Fait à noter, après avoir atteint la posologie de 2 mg/kg/jr, les augmentations subséquentes nécessaires peuvent se faire à toutes les semaines. La dose maximale recommandée est de 15 mg/kg/jr.

S'il y a prise concomitante d'acide valproïque, la posologie de la lamotrigine doit être réduite car son métabolisme est ralenti par l'acide valproïque. Ainsi la dose initiale est de 0,15 mg/kg/jr. La vitesse d'augmentation est la même et la dose maximale recommandée est de 5 mg/kg/jr. En suivant ces recommandations d'introduction très lente de l'agent, que ce soit avec ou sans acide valproïque, les risques de développer un syndrome de Steven-Johnson sont pratiquement nuls.

Une attention particulière doit être également portée en présence d'agents inducteurs du cytochrome P450 (carbamazépine, phénobarbital et phénytoine) puisque ces médicaments augmentent le métabolisme de la lamotrigine.

Le médicament est disponible sous deux formes : comprimés croquables de 2, 5, et 25 mg et comprimés de 25, 100, 150 et 200 mg.

Topiramate (Topamax®)

Le topiramate est surtout utilisé comme traitement d'appoint pour les crises partielles et secondairement généralisées rebelles à une monothérapie. Il peut aussi être utilisé comme traitement chez les enfants souffrant du syndrome de West.

Surtout chez l'enfant plus vieux et l'adulte, le topiramate peut avoir un effet dommageable sur certaines facultés cognitives, en particulier le langage, à tel point qu'on doit parfois arrêter le traitement. Par ailleurs, le topiramate affecte à l'occasion la mémoire et peut entraîner une baisse de l'appétit significative, avec perte de poids. Un autre effet secondaire, rarement observé en clinique, est la formation de calculs urinaires. Une bonne hydratation est recommandée pour prévenir efficacement cette complication.

La posologie initiale recommandée est de 1-2 mg/kg/jr en deux prises quotidiennes et est augmentée à toutes les semaines de 1-2 mg/kg/jr pour atteindre une dose d'entretient de 5 mg/kg/jr. Cette médication peut être augmentée au besoin jusqu'à 9 mg/kg/jr dans les crises partielles et secondairement généralisées, et même jusqu'à plus de 30 mg/kg/jr pour les spasmes infantiles.

Les formes du médicament disponibles sont variées: comprimés de 25, 100 et 200 mg, et capsules de 15 et 25 mg.

Gabapentin (Nertontin®)

Le gabapentin est parfois utilisé comme traitement d'appoint pour les épilepsies réfractaires, quelles soient partielles ou secondairement généralisées.

Mise à part la survenue, rare, de fatigue, de céphalées, d'étourdissements et de malaises digestifs peu spécifiques, cette médication est généralement bien tolérée.

Les doses sont de 30 à 60 mg/kg/jr en trois prises quotidiennes. Aspect intéressant à considérer: vu son métabolisme rénal, le gabapentin n'occasionne pas d'interaction médicamenteuse.

Plusieurs présentations sont disponibles: capsules de 100, 300 et 400 mg et comprimés de 600 et 800 mg.

Oxcarbazépine (Trileptal®)

L'oxcarbazépine est utilisé dans les mêmes conditions que la carbamazépine mais présente moins d'effets secondaires que cette dernière. Cependant, en raison de son coût élevé, cet agent est actuellement surtout recommandé chez les patients qui répondent à la carbamazépine, mais qui présentent des effets secondaires justifiant son arrêt. Il est aussi recommandé en polythérapie. Par ailleurs, on constate de plus en plus que le trileptal peut être efficace chez des patients qui ne répondent pas à la carbamazépine.

Les effets secondaires sont les mêmes que ceux rapportés avec la carbamazépine mais sont moins fréquents (25 à 30 % des patients ayant connu une hypersensibilité à la carbamazépine en connaîtront une à l'oxcarbazépine). Parmi ces effets secondaires on retient la somnolence, les malaises digestifs, les céphalées et les réactions cutanées.

La posologie recommandée est la même que celle de la carbamazépine.

Les formes disponibles sont les comprimés de 150, 300 et 600 mg et l'élixir de 60mg/ml.

Levitiracétam (Keppra®)

Le lévitiracétam est utilisé surtout comme traitement adjuvant dans les épilepsies partielles et secondairement généralisées mais peut également être prescrit dans les épilepsies primaires généralisées comme, par exemple, les myoclonies et les crises toniques.

Cette médication est habituellement bien tolérée, mais on rapporte chez plusieurs patients des troubles du comportement apparaissant habituellement tôt après l'introduction du médicament. Il a été démontré que la pyridoxine, à raison de 7 mg/kg/jr peut être efficace pour contrer ces problèmes de comportement. Finalement, comme pour tous les antiépileptiques, des effets secondaires sous forme de somnolence, de fatigue et de céphalées peuvent être rapportés.

La posologie est de 20 à 80 mg/kg/jr en deux doses. Il est important d'expliquer aux parents qu'il peut y avoir une période transitoire d'aggravation des crises avant que le médicament soit efficace. Ceci dure de quatre à sept jours et, à moins de subir une exacerbation non acceptable, il faut savoir être patient, car après cette période d'aggravation l'amélioration peut être remarquable.

Une seule forme du médicament est disponible : comprimés de 250, 500 et 750 mg.

Pregabaline (Lyrica®)

Récemment approuvé au Canada, cet agent est utilisé comme traitement d'appoint pour les épilepsies partielles. Généralement bien tolérée, elle peut cependant entraîner des vertiges, de la somnolence, de la fatigue et des céphalées De plus, on rapporte parfois une prise de poids, de l'oedème des extrémités, des douleurs musculaires et une sècheresse de la bouche.

La posologie chez l'enfant n'est pas encore déterminée par Santé Canada. Son utilisation a cependant fait l'objet d'études dans cette population et la dose initiale recommandée est de

25 mg par jour, à augmenter progressivement de 25 mg par semaine, en deux doses par jour. La dose chez l'adulte est de 150 mg par jour en deux ou trois doses, jusqu'à 600 mg par jour, toujours en deux ou trois doses.

Les formes disponibles sont les comprimés de 25, 50, 75, 150 et 300 mg.

Vigabatrin et stéroïdes

Le vigabatrin, disponible au Canada et en Europe, est le médicament utilisé pour traiter les spasmes infantiles. Malgré certaines études contradictoires, le vigabatrin est reconnu comme étant l'antiépileptique de premier choix pour cette condition. Il est introduit à raison de 50 mg/kg/jr en deux doses, puis augmenté aux deux à trois jours de 50 mg/kg/jr jusqu'à ce que les spasmes disparaissent ou jusqu'à concurrence de 150 mg/kg/jr. L'enfant peut être grognon au début du traitement, devenir hypotonique, mais ce sont des effets secondaires transitoires. Par contre, une augmentation constante de l'appétit peut survenir et doit alors être surveillée pour éviter un gain de poids excessif. Finalement, une atteinte des champs visuels est à surveiller et les enfants doivent être examinés à chaque trois mois par un ophtalmologiste. Cette atteinte a surtout été rapportée chez l'adulte traité par vigabatrin, car elle ne peut être mise en évidence que par des examens difficiles à effectuer chez le jeune enfant. L'incidence précise de cette atteinte chez les nourrissons traités avec vigabatrin pour des spasmes infantiles est inconnue, mais il est clair que ce risque est nettement moins dommageable pour l'enfant s'il répond bien au vigabatrin que les complications qui peuvent survenir si les spasmes infantiles ne sont pas contrôlés. Si les spasmes infantiles ne sont pas contrôlés avec le vigabatrin ou si celui-ci entraîne des effets secondaires inacceptables, le topiramate peut être essayé à grosses doses (jusqu'à 30 mg/kg/jr). Cette pratique est surtout utilisée aux États-Unis où le vigabatrin n'est pas disponible.

Sinon, l'alternative à ce traitement se trouve dans les stéroïdes qui sont disponibles soit sous forme de prednisone, à raison de 1 mg/kg/jr ou d'ACTH (Synacthen). La posologie du Synacthen (1mg/ml IM) est de 1.875 mg/m^2 aux deux jours la première semaine, diminuée de façon progressive pendant la durée du traitement, soit 12 semaines.

Les stéroïdes sont parfois prescrits pour le traitement de certains syndromes épileptiques rares comme le syndrome de pointes ondes continues du sommeil (POCS) et le Landau-Kleffner. Finalement, une revue récente de la littérature a suggéré que les stéroïdes devraient être considérés comme traitement adjuvant chez les patients présentant une épilepsie généralisée réfractaire au traitement conventionnel.

État de mal épileptique

Il s'agit d'une condition caractérisée par une convulsion durant plus de 30 minutes ou par la répétition de crises plus courtes pendant 30 minutes sans que le patient reprenne un état de conscience normal entre les crises. De façon pratique, on sait qu'une grande partie des crises qui n'arrêtent pas spontanément après cinq minutes ont peu de chance de le faire après ce délai. Elles risquent donc d'évoluer vers un état de mal si aucune médication n'est donnée. Dans ce contexte, si une crise dure plus de cinq minutes, on demande aux parents d'appeler les ambulanciers pour un transfert en milieu hospitalier ou on prescrit du Diastat® que les parents donnent à la maison en attendant les ambulanciers (on prescrit ce médicament pour les patients qui ont l'habitude de faire des crises prolongées ou pour ceux qui demeurent loin d'un centre hospitalier).

Si la crise ne s'est pas arrêtée avec le Diastat® donné à la maison ou si le patient arrive à l'urgence sans avoir reçu de traitement, on lui donne une dose intraveineuse de 0,1 mg/kg de lorazépam. Cette dose peut être répétée une fois si le patient ne répond pas à la première dose. Si les convulsions se poursuivent, on donne de la phénytoïne à une dose de 20 mg/kg jusqu'à concurrence de 1250 mg. La vitesse de perfusion ne doit pas dépasser 50 mg/min en raison des effets secondaires rapportés sur le système cardio-vasculaire (baisse de pression et arythmie). Dans certains milieux, ce traitement intraveineux sera donné uniquement sur les unités où un monitoring cardiaque est disponible. Si la crise persiste, deux doses supplémentaires de 10 mg/kg peuvent être considérées.

Si la crise continue malgré la phénytoïne, du phénobarbital peut être débuté à raison de 20 mg/kg. Si la crise persiste, une dose supplémentaire de 10 mg/kg peut être considérée. Toutefois, une assistance ventilatoire doit être envisagée dans ces circonstances, avec transfert dans une unité de soins intensifs, vu le risque accru de dépression respiratoire. Pour cette raison, le médecin choisira plutôt de mettre la patient sous une perfusion de midazolam (Versed®) qui est une benzodiazépine. Il arrive que la crise ne cède pas à tous ces traitements. Le médecin aura alors le choix de tenter le phénobarbital ou la perfusion de Versed®, selon ce qui n'a pas déjà été fait, ou de le mettre en coma médicamenteux, avec du thiopental.

Conclusion

Ce chapitre exhaustif a surtout été présenté comme guide de référence. Les grandes lignes qui dictent le choix du traitement ainsi que chacun des traitements y ont été présentés pour que le parent, le patient ou l'intervenant puisse trouver une réponse aux questions fréquentes qui sont soulevées lorsqu'on parle de traitement.

Mais au bout du compte, ce qui doit être retenu, c'est que 80 % des patients répondent bien à leur médication anti-épileptique, parfois après quelques ajustements simples. Dans les autres cas, les changements de médications doivent se faire en fonction de tous les paramètres à notre disposition, à savoir l'évolution des crises, les effets secondaires éventuels à la médication, la compréhension de l'épilepsie de l'enfant et la collaboration précieuse des parents et des intervenants qui connaissent bien l'enfant.

CHAPITRE 6

ÉPILEPSIE RÉFRACTAIRE

PAR ELSA ROSSIGNOL, STÉPHANIE BENOÎT,
ANNE LORTIE ET LIONEL CARMANT

Introduction

L'épilepsie est une condition fréquente touchant 0,4 à 0,8 % de la population. De 20 à 30 % de ces patients développent une épilepsie réfractaire caractérisée par des convulsions fréquentes qui persistent malgré plusieurs traitements médicamenteux. Ceci peut survenir dans le contexte d'une atteinte cérébrale diffuse (encéphalopathie anoxique à la naissance, encéphalite virale, etc.) ou d'une anomalie locale (sclérose mésiale temporale, malformation du cerveau, etc.) Certains syndromes épileptiques de causes diverses mènent plus fréquemment à une épilepsie rebelle tels les syndromes de West (spasmes infantiles), de Lennox-Gastaut et de Doose. Toutefois, chez plusieurs enfants, il n'est pas possible d'identifier de façon précise la cause de leur épilepsie réfractaire.

Dans les cas d'épilepsie réfractaire, divers traitements adjuvants (qui se rajoutent aux traitements médicamenteux) peuvent être tentés afin d'obtenir un meilleur contrôle des crises convulsives et d'optimiser la qualité de vie et le fonctionnement global de l'enfant. Ces traitements incluent la diète cétogène, le stimulateur du nerf vague et les chirurgies palliatives (callosotomie, hémisphérotomie, trans-sections subpiales, cette dernière chirurgie servant à isoler une région du cerveau des régions voisines immédiates).

Mais avant de sélectionner un traitement adjuvant, on doit d'abord tenter d'offrir une chirurgie ciblée sur le foyer épileptique (la zone du cortex cérébral qui génère les convulsions) et donc d'essayer d'abord de localiser ce foyer. Pour ce faire, on procède à une investigation extensive qui comprend un enregistrement polyvidéo, une résonance magnétique cérébrale (IRM), une imagerie en médecine nucléaire (SPECT ou PET) une évaluation neuropsychologique, et parfois une corticographie. Lorsque le foyer épileptique est clairement défini, une chirurgie ciblée sur le foyer peut être proposée. Si par ailleurs le foyer est mal localisé, inopérable (par sa localisation difficile d'approche ou par les fonctions essentielles qu'il dessert), ou si plusieurs foyers indépendants sont identifiés, un des traitements adjuvants sera proposé.

La diète cétogène

Aux temps bibliques déjà, l'effet bénéfique du jeûne sur les convulsions avait été noté. Entre 1921 et 1928, plusieurs études publiées démontrèrent une nette diminution de la fréquence des convulsions chez les patients soumis à un jeûne d'une durée moyenne de trois semaines, avec un retour des convulsions dès la reprise d'une alimentation normale. Dans les années 1960, un médecin américain, le Dr Wilder, émit l'hypothèse d'un effet thérapeutique anti-épileptique de l'acidose et des cétones produites en périodes de jeûne.

La diète cétogène n'est utilisée que dans les cas d'épilepsie rebelle car c'est une diète extrêmement stricte caractérisée par une prépondérance de lipides (gras) par rapport aux glucides (sucres) dans l'alimentation, ce qui permet d'instituer un état métabolique similaire à celui observé après un jeûne et d'entraîner la production massive de cétones dans le sang. Rappelons en effet qu'en période de jeûne, le foie transforme les gras en cétones (acide bêta-hydroxybutyrique, acétoacétate et acétone, etc.). Le cerveau et les muscles ont la capacité de choisir leurs sources d'énergie et vont favoriser l'utilisation des cétones lorsqu'il n'y a pas suffisamment de sucres disponibles.

Le mécanisme exact de fonctionnement de la diète cétogène n'est pas encore élucidé. Certains auteurs supposent un effet direct des cétones sur la transmission synaptique (communication entre neurones) qui diminuerait l'hyperexcitabilité (ou orage électrique) retrouvée lors des convulsions. D'autres auteurs soutiennent que l'efficacité de la diète cétogène serait due à une augmentation de la production et de l'action du principal inhibiteur du cerveau : l'acide gamma-aminobutyrique (GABA).

L'initiation de la diète cétogène se fait habituellement en milieu hospitalier sur une période de cinq jours. Ceci permet de suivre de près les changements métaboliques provoqués par la diète et de l'ajuster progressivement. Ce séjour à l'hôpital permet également de compléter l'enseignement de la diète au patient et à sa famille. On limite également la quantité de liquides ingérés par l'enfant à 75 % des besoins habituels. Un soluté est souvent requis lors de cette première étape et sera retiré lorsque l'enfant tolérera ses premiers repas. On mesure régulièrement les cétones urinaires à l'aide d'un bâtonnet réactif que l'on trempe dans l'urine et qui gradue le niveau de cétones de + à +++. Lorsque les cétones urinaires sont suffisantes (+++), la diète est initiée à un tiers des apports finaux, puis augmentée d'un tiers par jour jusqu'à atteindre les apports quotidiens voulus. Au cours des premiers jours de la diète, les patients deviennent souvent somnolents et nauséeux. Ces réactions sont normales et transitoires. On les attribue à l'accumulation des cétones dans le sang. Certains patients développent également des hypoglycémies que l'on traite aisément avec de petites quantités de jus.

En pratique, la diète est constituée d'aliments riches en lipides (gras). Les proportions observées sont habituellement de 4 grammes de lipides pour chaque gramme de protéines et glucides combinés (ratio 4:1). Au quotidien, ceci se traduit par 90 % de lipides pour 6 % de protéines et 4 % de glucides par rapport à une diète normale qui contient environ 35 % de lipides, comme on peut le voir dans le tableau 1, en page 107. La majorité des calories ingérées le sont sous forme de crème 35 % et d'huile. La crème peut être congelée, fouettée ou liquide. Les viandes, volailles, poissons, fromages et œufs sont permis. Les repas sont complétés par une petite quantité de fruits ou de légumes. Aucun produit céréalier n'est permis et les sucreries sont bannies de façon stricte. Tous les aliments sont pesés au gramme près. L'apport énergétique est calculé rigoureusement pour permettre une bonne croissance de l'enfant et un gain pondéral acceptable tout en restreignant l'apport calorique total à 75 % de l'apport quotidien recommandé. Les cétones sanguines tendent à diminuer l'appétit, et les enfants qui suivent cette diète ne souffrent généralement pas de la faim. L'apport quotidien en liquide est également restreint à 65 ml d'eau par kilo du poids de l'enfant. Des suppléments de vitamines et minéraux sont introduits afin de prévenir toute carence alimentaire. Les menus sont divisés en trois à quatre repas par jour et une période de jeûne est observée entre les repas (quatre à cinq heures). La diététiste fournit au patient plusieurs exemples de plans de repas. La créativité et l'enjouement des parents et des diététistes ont permis au fil des ans d'élaborer des repas variés et plaisants.

Il arrive que l'enfant réagisse vivement à l'introduction de la diète. Il importe donc de le préparer psychologiquement dans les semaines qui précèdent le début du traitement. Il est aussi préférable d'introduire d'abord les aliments favoris de l'enfant et d'ajouter de nouveaux ingrédients progressivement. L'enfant s'habituera petit à petit à sa nouvelle diète. Le support des proches de la famille ajoute au bon cours des événements et minimise l'impact de ces transformations sur l'ensemble des membres de la famille.

Un suivi médical et diététique soutenu est requis. La croissance, le gain pondéral, la densité osseuse, le bilan biochimique et l'état de santé général sont suivis de façon régulière. De plus, la diète est modulée régulièrement par la diététiste afin d'assurer un bon équilibre des composantes de cette diète, un apport nutritionnel adéquat et une diversité suffisante des ingrédients permis. Les parents vérifient régulièrement qu'un niveau approprié de cétones (+++) est maintenu. Enfin, un calendrier des convulsions est tenu par les parents afin d'évaluer l'efficacité du traitement.

L'efficacité de la diète cétogène dans les épilepsies réfractaires a été abondamment documentée. Dans une large étude prospective menée à l'Hôpital John Hopkins (Baltimore) et publiée en 1998, Freeman et ses collègues ont suivi 150 enfants, d'âge moyen de 5,3 ans, présentant une moyenne de 400 convulsions par mois et ayant déjà essayé environ six médications. La moitié des enfants ont présenté une réduction soutenue des convulsions de plus de 50 %. Trente enfants (20 %) démontraient une réduction de plus de 90 % de leurs convulsions et certains d'entre eux (sept enfants) ont même atteint un contrôle parfait de leurs convulsions. Ces patients ont été réévalués entre trois et six ans d'évolution : 13 % demeuraient libres de convulsions même après arrêt de la diète, et 44 % des enfants présentaient une réduction de plus de 50 % de leurs convulsions par rapport à leur état initial. Ces données suggèrent que la diète cétogène peut avoir des effets bénéfiques au long cours et ce, même après le retour à une alimentation usuelle.

La diète semble efficace pour tous les types de convulsions. Toutefois, les crises généralisées de type myoclonique, atonique, absences et tonico-clonique semblent répondre plus favorablement. Plusieurs études récentes soulignent l'utilité de la diète cétogène dans les syndromes de West (spasmes infantiles) et de Lennox-Gastaut. Les patients de tous âges peuvent être traités par diète cétogène, mais celle-ci semble plus efficace chez les jeunes enfants âgés entre 2 et 5 ans.

La majorité des patients avec épilepsie réfractaire sont éligibles à un traitement par diète cétogène. Toutefois, certaines maladies du métabolisme intermédiaire constituent des contre-indications fermes à l'initiation de ce traitement (déficit en pyruvate carboxylase, troubles de l'oxydation des acides gras, maladies mitochondriale, etc.). De plus, ce traitement requiert une bonne collaboration de la part du patient et de sa famille dans la mesure où la diète doit être respectée de façon méticuleuse. Les écarts peuvent entraîner une aggravation subite et significative des convulsions. Une attention particulière doit être portée au contenu en sucre de tout ce que le patient ingère incluant les médicaments (acétaminophène, antibiotique, sirops), multivitamines, produits naturels, etc.

Certaines précautions s'imposent lors de maladies intercurrentes (ex. : rhume, gastroentérite) afin d'assurer à l'enfant une hydratation et un apport énergétique suffisant et d'éviter une aggravation de l'acidose. Lorsque l'enfant ne peut s'alimenter correctement, des solutions de réhydratation orale (ex. : Pédialyte®) peuvent être données selon les quantités calculées par la diététiste. Ces solutions contiennent du sucre et ne doivent pas être prises en quantités excessives. Il est parfois requis d'hospitaliser l'enfant durant la phase aiguë de l'infection. Un soluté sans sucre est permis lorsqu'il est indiqué par l'état de l'enfant. Lors d'épisodes fébriles avec température supérieure à 38,5 °C, l'enfant peut recevoir de l'acétaminophène en comprimés. Si la fièvre persiste de 24 à 48 heures, il est indiqué de consulter le pédiatre traitant.

Certaines complications peuvent survenir en cours de traitement avec la diète cétogène, la plus fréquente étant la constipation due à la faible teneur en fibres de la diète. Si l'enfant devient constipé, il est très difficile de revenir à une fonction intestinale normale, la quantité de fruits et légumes de la diète étant trop faible pour contrecarrer la constipation. Des émollients sont souvent nécessaires. De plus, 7 % des enfants traités développent des lithiases rénales (pierres aux reins). Par ailleurs, la diète cétogène tend à diminuer le processus de formation des os. La densité osseuse est donc suivie annuellement durant le traitement et se corrige après l'arrêt de la diète. Enfin, malgré la forte concentration en lipides de la diète cétogène, il ne semble pas y avoir d'augmentation du risque de complications cardiaques ou vasculaires à long terme (athéromatose). Des cas isolés de pancréatite, d'anémie hémolytique et de cardiomyopathie ont étés décrits. Moins de 2 % des patients présentent des complications significatives à la diète, et toutes sont réversibles après arrêt de celle-ci.

L'effet de la diète se voit généralement au cours des premières semaines de traitement. Un essai de deux à trois mois au régime optimal est suggéré avant de conclure à l'inefficacité du traitement. La diète est poursuivie pour une période de deux ans puis le sevrage se fait progressivement sur une période de 9 à 12 mois.

Avant de conclure sur cette question, nous aimerions mentionner la diète avec faible indice glycémique développée plus récemment. Celle-ci diffère de la diète cétogène conventionnelle en permettant une plus grande consommation de glucides, de protéines et en ne posant pas de restriction calorique. Elle semble bien tolérée et plus facile à administrer. De petites études récentes semblent démontrer une efficacité comparable à la diète conventionnelle, et de plus larges études sont en cours.

TABLEAU 1

Comparaison de la diète cétogène et de la diète avec faible indice glycémique

Composition	Diète normale	Diète cétogène conventionnelle (les % varient selon les hôpitaux)		Diète avec faible indice glycémique
Gras	35 %	90 %	80 %	60 - 70 %
Protéines	15 %	6 %	15 %	20 - 30 %
Glucides	50 %	4 %	5 %	10 %
Calories	100 %	75 % des apports recommandés		Sans restriction

Le stimulateur du nerf vague (SNV)

Le nerf vague est le dixième nerf crânien. Il convie diverses informations au tronc cérébral incluant les sensations viscérales des intestins et du pharynx ainsi que les informations physiologiques telles que les mesures de la tension artérielle et du gaz carbonique sanguin aux centres de contrôle situés dans le tronc cérébral. Le nerf vague descend du cou vers le cœur en longeant la carotide (l'artère principale du cou).

À la fin des années 1880, le docteur anglais C.H Parry avait démontré qu'une pression exercée manuellement sur la carotide permettait d'interrompre les convulsions prolongées. Il créa divers appareils servant à faire une telle compression. Le neurologue américain J.L. Cornings ajouta à ces appareils un équipement de stimulation électrique. L'efficacité du traitement s'en trouva accru. Ces techniques encombrantes furent toutefois reléguées aux oubliettes avec la venue de nouveaux médicaments antiépileptiques. Un siècle plus tard, un chercheur dénommé Zabara démontra qu'une stimulation électrique appliquée directement sur le nerf vague dans le cou des chiens permettait d'interrompre les convulsions, d'où l'intérêt renouvelé pour cette approche thérapeutique. On a depuis fabriqué de très minces fils électriques qui permettent de stimuler le nerf vague directement en transmettant des influx électriques à partir d'une pile installée dans un petit boîtier sous la peau au niveau du thorax, sous la clavicule (voir la figure 17). Le boîtier mesure environ 5 cm de diamètre sur 1 cm d'épaisseur.

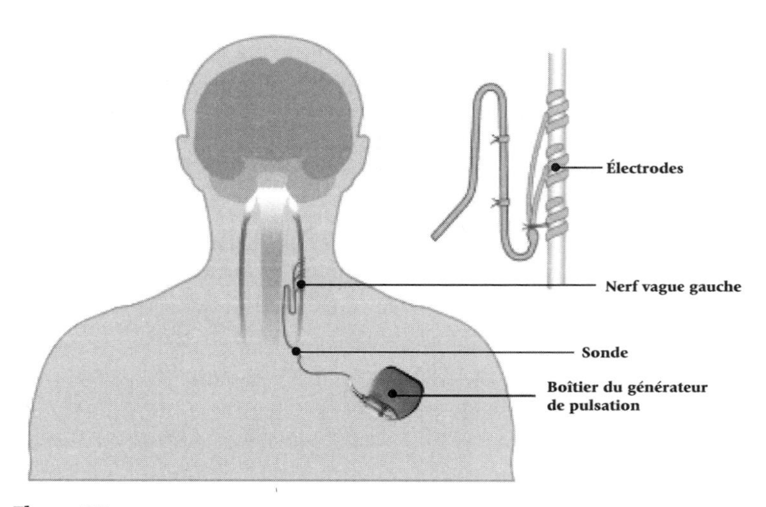

Figure 17
Schéma de l'emplacement du stimulateur du nerf vague et de son électrode.
Reproduit avec l'autorisation de Hycorp et Cyberonics Europe.

Les mécanismes d'action du SNV ne sont pas encore bien compris. Lorsque le nerf vague est stimulé, il envoie des signaux aux centres de relais du tronc cérébral et des régions profondes du cerveau incluant le thalamus. Ces zones profondes envoient à leur tour un message global à l'ensemble du cortex qui permet d'atténuer l'effet d'orage électrique de la convulsion, probablement en augmentant l'inhibiteur principal du cerveau (le GABA).

L'installation du SNV implique un suivi médical étroit. Les paramètres de stimulations tels que la fréquence des influx électriques, leur intensité et leur durée sont ajustés régulièrement par le neurologue au moyen d'un ordinateur et d'un petit aimant qu'on déplace au dessus du boîtier. Ces ajustements se font habituellement toutes les deux semaines initialement, puis tous les mois, jusqu'à atteindre les paramètres optimaux pour obtenir et maintenir une bonne réponse thérapeutique. Les paramètres standard visés pour le SNV sont de 2mV d'intensité de stimulation à une fréquence de 30 Hz (30 stimulations par seconde) pendant 30 secondes, et ce toutes les 5 minutes. Le SNV génère donc automatiquement des stimulations électriques périodiques. Les patients disposent également d'un petit aimant portatif qu'ils peuvent passer au dessus du boîtier lorsqu'ils sentent venir une convulsion. Lorsque les paramètres du stimulateur sont optimaux, l'enfant est revu tous les trois mois. Un calendrier des convulsions est tenu par les parents afin de juger de l'efficacité du traitement. On conserve les mêmes médicaments pendant la première année du traitement, puis ceux-ci peuvent être sevrés progressivement, si le contrôle des crises se maintient de façon satisfaisante.

L'efficacité du SNV dans les épilepsies réfractaires a été abondamment documentée tant chez l'adulte que chez l'enfant. Depuis l'instauration de ce traitement en 1988, plus de 20 000 patients en ont bénéficié à travers le monde. Les études menées chez les enfants ont démontré une réponse favorable au traitement (diminution des convulsions de plus de 50 %) chez 35 à 75 % des enfants. Une large étude prospective publiée en 2003 a démontré une réponse favorable chez 45 % des enfants traités, avec un arrêt complet des convulsions chez 18 % des patients après six mois de suivi. Les enfants inclus dans cette étude avaient un âge moyen de dix ans, présentaient en moyenne 120 convulsions par mois et avaient reçu huit médications avant l'instauration du SNV. L'évolution de 28 patients traités avec SNV à l'Hôpital Sainte-Justine de 2000 à 2005 a été révisée récemment. Après un suivi moyen de trois ans, 71 % des patients démontraient une réduction de leurs convulsions de plus de 50 %, et 11 % n'avaient plus de convulsions. Le maximum d'efficacité du SNV semble être atteint après trois à six mois de traitement. Par ailleurs, notons qu'une bonne proportion des patients (40 %) démontre une nette amélioration de leur état général, de leurs comportements et de leurs capacités d'attention, même lorsque l'effet sur les convulsions est minimal.

Certains syndromes épileptiques semblent répondre plus favorablement à ce traitement tels que le syndrome de Lennox-Gastaut, les épilepsies myocloniques et les épilepsies partielles d'origine frontale. En effet, le SNV semble particulièrement efficace pour les convulsions de type absences atypiques, les crises myocloniques, toniques, atoniques et les crises partielles complexes. Il n'est pas rare de voir un enfant qui présente plus de 100 absences atypiques par jour et des chutes atoniques quotidiennes, devenir libre de ces convulsions. Toutefois, les convulsions généralisées tonico-cloniques répondent moins bien au traitement avec une réduction des convulsions de 50 % chez la moitié des patients.

Les effets secondaires associés au SNV sont pour la plupart bénins et tolérables. Ainsi, la moitié des enfants traités ressentent un inconfort au niveau de la gorge, une voix rauque, de la toux ou un essoufflement de façon intermittente lors des stimulations. Ces inconforts tendent à s'amenuiser avec le temps. Certains enfants se plaignent d'inconfort au site du boîtier et il est parfois nécessaire de déplacer celui-ci lors d'une seconde chirurgie.

Les complications plus importantes liées à l'installation du SNV sont beaucoup plus rares. Celles-ci incluent des infections de la plaie chirurgicale ou une infection profonde le long des fils du SNV dans 3-10 % des cas. Il est donc primordial de consulter un médecin en cas de fièvre prolongée ou s'il y a apparition de rougeur au site de la plaie, ou gonflement des ganglions au niveau du cou ou des aisselles. La plupart des infections peuvent être traitées par antibiothérapie intraveineuse, mais il est parfois requis d'enlever le stimulateur.

Par ailleurs, les risques opératoires sont les mêmes que pour toute opération soit un risque mineur de saignement lors de la chirurgie. Certains cas d'arythmie cardiaque et même d'arrêt cardiaque lors de l'installation de l'appareil ont été rapportés mais semblent très rares et n'ont jamais mené à un décès. Aucune arythmie cardiaque n'a été rapportée en dehors de la chirurgie. Notons que tous les patients avec épilepsie réfractaire sont à risque de mort subite inexpliquée, généralement lorsqu'ils présentent des convulsions quotidiennes très fréquentes. Ce risque est faible et est estimé à 0,4 %. Il n'est pas augmenté dans les cohortes traitées avec SNV. Enfin, certains patients présentent des difficultés à avaler lors des stimulations et ceci semble plus marqué chez les enfants présentant déjà des troubles de déglutition avant l'installation du SNV. Lorsque ceci entraîne des pneumonies d'aspiration ou une perte de poids il est parfois nécessaire de cesser le SNV.

La longévité de la pile est de cinq à huit ans selon le modèle de SNV installé et selon les paramètres de stimulation utilisés.

Lorsque la pile s'épuise, on note une aggravation significative des convulsions et le neurologue traitant doit en être avisé. La pile est remplacée chirurgicalement, puis le traitement est repris et peut être poursuivi plusieurs années.

Les chirurgies

Chirurgie ciblée sur le foyer épileptique

Lorsqu'un foyer épileptique est clairement défini, une chirurgie ciblée sur le foyer épileptique peut être offerte. Ceci n'est possible que si la zone d'où provient l'activité épileptique (zone épileptogène) n'est pas jugée indispensable au fonctionnement normal de l'enfant et lorsque les avantages l'emportent sur les risques de la chirurgie. Pour s'assurer que son patient répond à ces critères, le neurologue doit d'abord répondre aux questions suivantes :

1. *Est-ce qu'on peut penser que le patient a un foyer épileptique clairement défini ?* Pour s'en assurer, il doit d'abord vérifier que le patient a toujours le même type de crises. Si ce n'est pas le cas, le patient a probablement plusieurs régions cérébrales responsables de ses différents types de crises, ce qui rend la chirurgie moins probable. Il peut arriver que même si le patient fait plusieurs types de crises, on propose quand même la chirurgie focale, mais il faut alors qu'un type de crises prédomine clairement en fréquence sur les autres types.
2. *Est-ce qu'on peut localiser ce foyer de façon précise ?* Pour y arriver, le neurologue doit faire passer une polyvidéo prolongée à son patient (voir le chapitre 2). En effet, le but de la chirurgie de l'épilepsie est de réséquer la région cérébrale responsable des crises tout en créant le moins de déficits neurologiques possibles. L'analyse précise du foyer épileptique, qui est faite en regardant en détail les crises du patient et en vérifiant le point de départ précis de l'activité épileptique correspondant à ces crises, permet de délimiter la région épileptogène. Il arrive parfois que la polyvidéo standard ne soit pas suffisante pour arriver au résultat et qu'il faille analyser l'activité épileptique directement sur le cerveau et non pas sur le scalp. Pour ce faire, il faut recourir soit à la mise en place de plaques

très minces déposées sous les os du crâne et sous la couche de méninge, appelée « dure-mère», directement sur le cerveau et qui contiennent de 4 à 64 électrodes selon les modèles d'électrodes (ECoG), soit à la pose d'électrodes en profondeur qui sont implantées dans le cerveau sous guidance radiologique (SEEG). Cette procédure est faite en salle d'opération par le neurochirurgien. Puis l'analyse du tracé d'EEG se fait dans les jours suivants, une fois que le patient est retourné à sa chambre. Cette analyse peut durer de quelques jours à 3 semaines. Elle est sous la responsabilité du neurologue. Les ECoG et les SEEG ont l'avantage majeur d'enregistrer l'activité électrique cérébrale de façon plus précise que l'EEG standard à cause de leur proximité avec le cerveau.

3. *Est-ce que la région responsable de l'épilepsie est impliquée dans une fonction motrice ou cognitive essentielle au bon fonctionnement de l'enfant?* Ceci est particulièrement important si on pense au langage et à la région temporale qui en est responsable. Pour s'assurer que la chirurgie ne risque pas de créer des séquelles motrices ou langagières dommageables et irréversibles, il faut essayer de comprendre comment fonctionne le cerveau de l'enfant qu'on pense faire opérer. La première chose à faire est une évaluation neuropsychologique (voir les chapitres 3 et 8). Si cette évaluation indique qu'il y a des risques que le langage ou la mémoire soient situés dans la région épileptique même ou dans son voisinage, il faut procéder à un test de WADA.

Pendant ce test, on endort sélectivement un hémisphère cérébral à l'aide d'une injection intra-artérielle de sodium pentobarbital. Le neuropsychologue présente des stimuli au patient et vérifie la réaction de celui-ci. Les différents stimuli évaluent le langage et les mémoires visuelle et langagière du patient. Le premier jour, les stimuli sont présentés lorsqu'un hémisphère est endormi (habituellement celui d'où vient l'épilepsie) et le lendemain lorsque l'autre hémisphère est endormi. On dit qu'un hémisphère est « dominant» pour la mémoire et le langage lorsque le patient échoue les tests le jour où cet hémisphère est endormi. Si la région à enlever implique le lobe temporal dominant, le plus souvent la chirurgie n'est pas proposée. Il existe des exceptions, qui dépendent de l'étiologie de l'épilepsie et de l'âge du patient, mais dont la description dépasse les limites de cet ouvrage. Si la région à enlever se trouve dans l'hémisphère dominant, la chirurgie peut avoir lieu, même si le foyer épileptique est proche du lobe temporal (zone du langage) ou de la région responsable de la motricité de la main. Cependant, le plus souvent, on va dans ce cas là proposer de faire un enregistrement de type ECoG ou SEEG pour être certain que l'activité épileptique n'implique pas ces régions.

En discutant du patient, le neurologue et le neurochirurgien peuvent parfois avoir des doutes quant à la localisation précise de certaines fonctions (par exemple la dénomination, la motricité des doigts) par rapport aux électrodes qui enregistrent l'activité épileptique. Pour être certain qu'une chirurgie à ce niveau n'amènera pas de séquelles cognitives ou motrices, on peut stimuler les électrodes situées dans les régions à risque. Cette stimulation est faite par le neurologue qui surveille alors de façon très précise le comportement de l'enfant à chacune des stimulations. Il note la localisation des électrodes responsables des fonctions importantes et signale au neurochirurgien qu'idéalement il ne doit pas toucher au cerveau situé dans ces régions.

Lorsque les résultats de tous les tests sont obtenus (EEG, polyvidéo, radiologie, imagerie fonctionnelle, neuropsychologie, WADA et enregistrement en profondeur avec ou sans stimulation), ils sont discutés par les membres de l'équipe interdisciplinaire impliquée auprès du patient. L'équipe arrive alors à une décision de consensus qui sera présentée aux parents et à l'enfant quant à la faisabilité, aux chances de réussite et aux risques d'une chirurgie. Il est certain qu'une chirurgie ne sera proposée que si les chances d'amélioration sont clairement supérieures aux risques de séquelles significatives.

La chirurgie focale semble particulièrement efficace dans les cas d'épilepsie réfractaire du lobe temporal (voir figure 18). Le neurochirurgien peut procéder à une chirurgie sélective (**amygdalo-hippocampectomie**), ou à une résection complète de la portion antérieure du lobe temporal (**lobectomie temporale antérieure**) selon l'étendue du foyer.

Suivant une chirurgie focale du lobe temporal, 80 % des patients sont libres de convulsions après deux ans de suivi. De plus, plusieurs études ont démontré une amélioration significative des performances aux tests neuropsychologiques.

Les complications possibles d'une chirurgie du lobe temporal incluent une perte de vision dans les quadrants supérieurs des champs visuels et une perte de motricité d'un côté du corps (hémiplégie). La plupart des patients récupèrent ces fonctions après plusieurs mois de réadaptation. Lorsque la chirurgie se fait dans l'hémisphère dominant (côté gauche pour les droitiers), certains patients éprouvent des difficultés du langage en postopératoire malgré toutes les précautions telles que décrites plus haut. Toutefois, ce risque est minime chez les enfants de moins de 10 ans, parce que le langage n'est pas entièrement latéralisé à cet âge et que l'autre côté du cerveau pourra compenser. Comme pour toute procédure chirurgicale, il y a des risques d'infections, habituellement traitables aisément. Les risques opératoires sont estimés de 6 % de séquelles transitoires, 2 % de séquelles permanentes ou sérieuses et 0,24 % de mortalité.

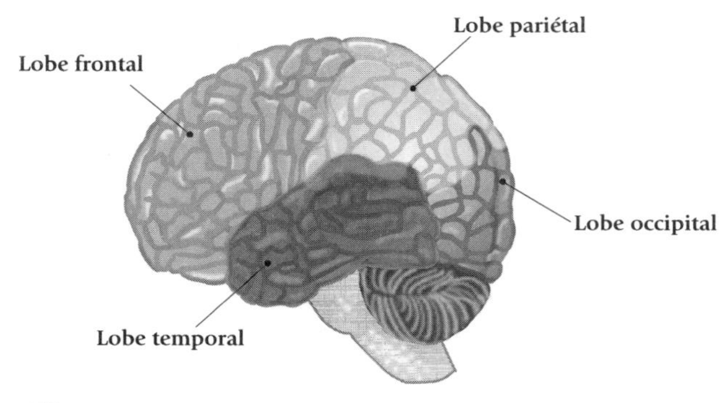

Figure 18
Les lobes cérébraux.

Une chirurgie ciblée peut également être offerte lorsqu'un foyer est bien défini à l'extérieur du lobe temporal. Les lésions du lobe frontal semblent répondre mieux que celles des lobes pariétaux et occipitaux quoique les résultats soient généralement moins bons qu'après une chirurgie du lobe temporal. En effet, suite à une chirurgie extra-temporale, 37 % des patients présentent un arrêt complet de leurs convulsions. Bien qu'une résection dans les lobes frontaux près du cortex moteur entraîne un risque d'hémiplégie (faiblesse), ou d'arrêt du langage (aphasie) chez près d'un tiers des patients, la plupart récupère très bien après quelques mois.

Hémisphérotomie

Dans certains cas d'épilepsie réfractaire, les foyers épileptiques sont multiples, mais localisés dans un seul hémisphère du cerveau, ou sont très étendus. Les convulsions sont parfois très fréquentes allant jusqu'à des centaines de crises par jour. Les médecins traitants peuvent alors suggérer une hémisphérectomie s'ils estiment que l'hémisphère anormal est la cause des convulsions et qu'il a peu de fonction normale résiduelle. La chirurgie classique dite **hémisphérectomie anatomique** durant laquelle le neurochirurgien enlèvera toute la moitié du cerveau malade, sauf les noyaux profonds (noyaux gris centraux), comporte un risque de complications postopératoires chez près d'un tiers des patients. C'est pourquoi l'on favorise généralement l'**hémisphérectomie fonctionnelle**, ou hémisphérotomie, mieux tolérée.

Cette procédure vise à isoler l'hémisphère malade en coupant toutes ses communications avec l'hémisphère normal. Une portion des lobes temporaux et frontaux est également enlevée durant la procédure. En postopératoire, on note une paralysie du côté opposé du corps ainsi qu'une perte de la moitié du champ visuel chez 21 % des patients. Ces déficits sont partiellement récupérés au cours de la première année. Une telle procédure n'est généralement offerte qu'aux patients présentant déjà une faiblesse d'un hémicorps, et pour qui le contrôle des convulsions améliorerait significativement la qualité de vie. Enfin, 18 % des patients développent une hydrocéphalie (accumulation de liquide céphalorachidien) qui nécessite l'installation d'une dérivation ventriculo-péritonéale. La résolution complète des convulsions après hémisphérotomie est atteinte dans 50 à 88 % des cas.

Les chirurgies palliatives (callosotomie et transsections sub-piales)

Certaines formes d'épilepsies réfractaires peuvent être améliorées par des procédures chirurgicales dites palliatives (qui améliorent mais ne guérissent pas l'épilepsie). Ainsi, les patients présentant des crises atoniques (chutes brusques et imprévisibles) dues à de brèves décharges épileptiques qui voyagent rapidement d'un hémisphère à l'autre répondent très bien à la **callosotomie (partielle antérieure ou complète)**. Il s'agit d'une opération pendant laquelle le neurochirurgien coupe le corps calleux, une structure située entre les deux hémisphères et permettant la majorité des communications entre les deux hémisphères (voir figure 19). Suivant une callosotomie complète, près de 100 % des patients ont une disparition de leurs convulsions atoniques. Cette proportion est de 70 % pour les callosotomies partielles. Toutefois, la callosotomie complète laisse des séquelles cognitives plus importantes, connues sous le nom de syndrome de dysconnexion (*split-brain syndrome*), lequel est caractérisé par certains déficits du langage et des fonctions visuo-spatiales. La callosotomie partielle produit un déficit du langage léger et

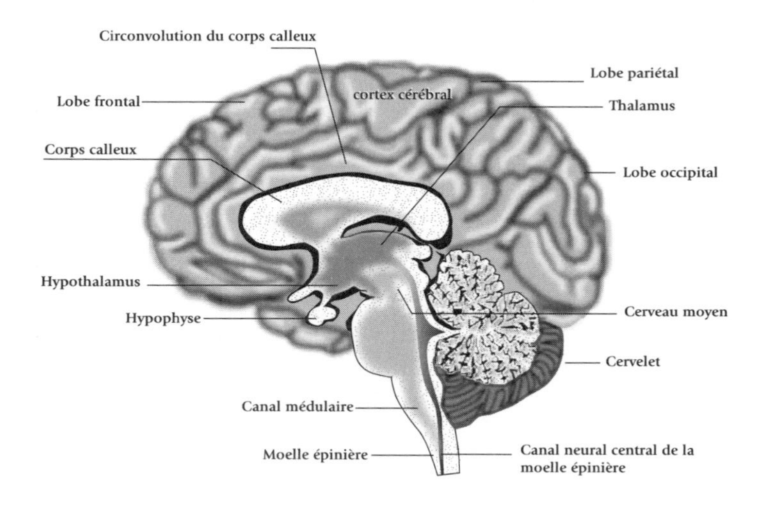

Figure 19
Vue du cerveau en coupe sagittale.

(tiré de : www.abieducation.com)

souvent transitoire chez 25 % des patients. Pour cette raison, la callosotomie complète est généralement réservée aux enfants présentant déjà un handicap neurologique sévère avec absence de langage. Le risque de mortalité de ces chirurgies est d'environ 0,9 %.

Lorsque le foyer épileptique identifié est situé dans une région essentielle du cerveau (zone du langage ou du contrôle moteur du côté dominant), la procédure de **transsections subpiales** constitue une solution de rechange sur le plan chirurgical. Durant cette chirurgie, la zone épileptique est coupée des régions adjacentes du cerveau. Ainsi, lorsqu'elle génère une convulsion, celle-ci ne peut plus se propager à l'ensemble du lobe ou du cerveau. Toutefois, la région ainsi isolée garde ses connections avec les structures plus profondes du cerveau et continue à desservir ses fonctions essentielles. Les complications potentielles principales de cette opération sont une hémorragie et un déficit transitoire de la zone opérée. Des complications mineures surviennent dans 19 % des cas et les complications plus sérieuses dans 6 % des cas. La résolution complète des convulsions est atteinte chez 38 % des patients traités.

Conclusion

L'épilepsie est une maladie fréquente touchant près de 1 % de la population, qui est réfractaire aux traitements usuels dans 20 à 30 % des cas. Plusieurs traitements adjuvants existent et permettent d'optimiser le contrôle des convulsions, notamment la diète cétogène, le stimulateur du nerf vague et les interventions chirurgicales. Le choix d'un tel traitement doit tenir compte des particularités cliniques de chaque patient et des bénéfices et désavantages potentiels de chaque option thérapeutique. Cette décision se prend conjointement par le patient, sa famille et l'ensemble des intervenants impliqués dans le suivi des enfants avec épilepsie réfractaire. Cette collaboration permet, dans bien des cas, d'améliorer la qualité de vie des enfants souffrant d'épilepsie réfractaire.

Références

American Academy of Neurology. « Epilepsy » *Continuum* 2004 10 (4).

BEN-MENACHEM E. « Vagus-nerve stimulation for the treatment of epilepsy ». *Lancet Neurology* 2002 1 : 477-482.

CASCINO G.D. « Surgical treatment for epilepsy ». *Epilepsy Research* 2004 60 (2-3) : 179-186.

Connaître le traitement cétogène : guide pour les parents. Montréal : Hôpital Sainte-Justine, 2003.

KOSSOFF, E.H. « More fat and fewer seizures : dietary therapies for epilepsy ». *Lancet Neurology* 2004 3 (7) : 415-420.

LACHHWANI D.K. « Pediatric epilepsy surgery : lessons and challenges ». *Seminars in Pediatric Neurology* 2005 12 (2) : 114-118.

LEE J.Y. et P.D. ADELSON. « Neurosurgical management of pediatric epilepsy ». *Pediatric Clinics of North America* 2004 51(2) ; 441-456.

SHETH R.D., C.E. STAFSTROM et D. HSU. « Nonpharmacological treatment options for epilepsy ». *Seminars in Pediatric Neurology* 2005 12 (2) : 106-113.

VALENCIA I., D.L. HOLDER, S.L. HELMERS et al. « Vagus nerve stimulation in pediatric epilepsy : a review ». *Pediatric Neurology* 2001 25 : 368-376.

CHAPITRE 7
LA RECHERCHE EN ÉPILEPSIE

▼

PAR LIONEL CARMANT

Introduction historique

Pour comprendre les défis de la recherche sur l'épilepsie, il est nécessaire de revoir du point de vue historique les progrès que nous avons faits au cours des siècles dans l'évaluation et le traitement de cette condition.

Les concepts fondamentaux concernant l'épilepsie se retrouvent dans les textes de l'Inde antique, entre 4500 et 1500 avant Jésus-Christ. L'épilepsie y est qualifiée de perte de connaissance. L'aspect surnaturel de l'épilepsie remonte à l'époque babylonienne (2000 ans avant J.-C.) et précède la position des Grecs qui l'ont surnommée « maladie sacrée », d'où le titre du premier livre écrit sur l'épilepsie par Hippocrate. Cependant, Hippocrate voyait déjà dans l'épilepsie un problème neurologique. Il a aussi été le premier à reconnaître l'aspect potentiellement progressif du « désordre ». Le fait que l'épilepsie soit une maladie organique n'a cependant commencé à être admis qu'aux 18e et 19e siècles. Malgré tous les préjugés envers l'épilepsie, certains épileptiques sont devenus célèbres: Jules César, le Tsar de Russie Pierre le Grand et l'écrivain Fedor Dostoïevski pour n'en nommer que quelques-uns.

Au 19e siècle, avec les débuts de la neurologie moderne, l'idée que l'épilepsie soit un désordre neurologique a commencé à se répandre. Ceci a contribué à atténuer l'ostracisme à l'égard des personnes atteintes d'épilepsie. Un hôpital pour « les paralysés et les épileptiques » a été créé à Londres en 1857. Dans le même temps, une approche plus humanitaire des problèmes sociaux de l'épilepsie a abouti à la création de « colonies » dans lesquelles les épileptiques étaient soignés tout en exerçant une activité professionnelle. On peut citer celles de Bielefeld-Bethel en Allemagne, Zurich en Suisse et celle de la Fondation Savoy, au Canada.

Les origines de notre conception moderne de la pathophysiologie de l'épilepsie remontent aussi au 19e siècle, avec les travaux du neurologue anglais Hughlings Jackson. En 1873, Hughlings Jackson observe que les crises d'épilepsie sont provoquées par un déséquilibre électrochimique dans le cerveau et que la présentation des crises dépend de l'emplacement et de la fonction du site des décharges. En 1920, Hans Berger développe l'enregistrement électroencéphalographique (EEG). À l'époque, avec seulement deux canaux, l'EEG permettait d'enregistrer des décharges électriques dans le cerveau sans pouvoir les localiser. Il a aussi permis d'identifier différents types d'ondes de l'activité électrique cérébrale correspondant à différents types de crises. Au fil des ans, cette technologie s'est améliorée. Avec maintenant un équipement pouvant enregistrer simultanément plus de 100 canaux, l'EEG permet de localiser les sites de décharges épileptiques qui provoquent les crises et d'envisager des traitements neurochirurgicaux inspirés de ceux qui ont été développés à partir des années 1950 par Penfield et Jasper à Montréal.

Pendant la première moitié du 20e siècle, les principaux médicaments utilisés pour le traitement de l'épilepsie étaient le bromure (1857), le phénobarbital (1912) et la phénytoïne (1938). Depuis les années 1970, par des méthodes de *screening* à large échelle, on découvre de plus en plus de médicaments ayant des propriétés antiépileptiques. Cette approche consiste à étudier les manifestations épileptiques et leur traitement chez l'animal et, de là, à identifier parmi ces traitements ceux qui pourraient s'avérer efficaces et sécuritaires pour l'humain. Depuis quelques années, plusieurs nouveaux médicaments antiépileptiques ont été commercialisés dans les pays développés. Nous avons donc actuellement plus de 15 médicaments dans notre arsenal thérapeutique. Cependant, malgré l'ajout de tous ces nouveaux médicaments, le nombre de patients libres de crises ne semble pas vouloir augmenter au-dessus de la barre des 75 %. Pour améliorer l'efficacité du traitement, nous profitons maintenant du fait que nous connaissons beaucoup mieux l'activité électrochimique du cerveau, et, en particulier, qu'il a été démontré que l'épilepsie résulte d'un déséquilibre entre les neurotransmetteurs de l'excitation (glutamate) et de l'inhibition (GABA ou *gamma butyric acid*). Nous tentons donc de développer une approche thérapeutique spécifique en fonction de la cause de l'épilepsie, ce qui permettrait d'individualiser les traitements et de réduire les effets secondaires. Cependant, pour en arriver là, d'autres progrès sont requis, dont nous allons discuter dans ce chapitre sur la recherche et l'épilepsie.

La recherche sur les causes de l'épilepsie

La recherche de lésions sous-jacentes

La compréhension et le traitement de l'épilepsie ont aussi été améliorés au cours des dernières décennies par le développement du matériel de neuro-imagerie. L'apparition du CT-scan au milieu des années 1970 et de la résonance magnétique dans les années 1990 a permis de démontrer qu'un grand nombre de lésions cérébrales de plus en plus subtiles étaient à l'origine de l'épilepsie. Plusieurs de ces lésions résultent d'une anomalie du développement du cerveau et n'ont été visualisées que grâce à la résonance magnétique, car elles n'étaient pas identifiées par le CT Scan. Au cours des dernières années, il y a eu une nette amélioration de la puissance du champ magnétique de la résonance : après l'aimant à 1.5 Tesla (T), les aimants ont maintenant atteint 3T et atteindront éventuellement la puissance 7T, déjà utilisée pour la recherche. En augmentant la force du champ magnétique, on tente d'améliorer la résolution des images. Ceci est essentiel, car, encore maintenant, plusieurs lésions identifiées sur le spécimen étudié au microscope après l'intervention chirurgicale ne sont pas visibles à la résonance préchirurgie. Cependant, il faut mentionner que souvent ces lésions ne sont même pas visibles à l'œil du neuro-chirurgien.

Grâce à ces avancements en neuro-imagerie, des épilepsies dont on ne connaissait pas la cause (cryptogéniques) sont devenues des épilepsies lésionnelles (symptomatiques) et ont également pu être considérées pour une cure chirurgicale. Malheureusement, l'imagerie de pointe et la chirurgie de l'épilepsie demeurent des techniques sous-utilisées dans notre milieu et ailleurs. Il est donc recommandé de faire évaluer chaque patient ayant une épilepsie non contrôlée dans un centre spécialisé en épilepsie.

La recherche de gènes causant l'épilepsie

Les progrès en génétique nous ont permis d'identifier les anomalies géniques responsables de plusieurs formes d'épilepsie ou de plusieurs maladies héréditaires rares dont l'épilepsie est un des symptômes majeurs. De plus, dans les dernières années, on a pu démontrer que certaines formes d'épilepsie sans cause évidente (idiopathique) sont elles aussi d'origine génétique. En effet, plus de 12 gènes causant des épilepsies idiopathiques ont été identifiés (voir chapitre 4). Le plus bel exemple demeure les convulsions néonatales familiales. Cette condition dominante a été liée au chromosome 20 et au chromosome 8. La recherche nous a permis d'établir qu'il s'agissait de mutations de sous-unités potassiques dont le rôle est de rétablir l'équilibre neuronal. Ces deux sous-unités sont complémentaires, il est donc normal qu'une mutation dans l'une ou l'autre entraîne le même syndrome épileptique. Les recherches sur cette forme d'épilepsie s'orientent maintenant vers le développement de médicaments permettant de pallier cette perte d'activité potassique pour traiter de façon plus spécifique les convulsions néonatales qui sont encore traitées avec un des plus vieux antiépileptiques, le phénobarbital. Cela illustre bien comment l'identification de gènes causant certaines formes d'épilepsie pourrait nous permettre d'individualiser les traitements.

Cependant, bien que souvent d'origine familiale, la génétique de l'épilepsie suit rarement les règles de la transmission mendélienne. Chez les personnes atteintes d'épilepsie, on parle plutôt d'hérédité complexe et de transmission de gènes de susceptibilité. Par exemple, un porteur de gène de susceptibilité pourrait avoir un EEG anormal sans présenter de convulsion, sauf s'il est mis dans une situation à risque (privation de sommeil, par exemple). Ce mode de transmission suggère que plus d'une mutation génétique est requise pour entraîner des manifestations épileptiques ou qu'une mutation nécessite des facteurs environnementaux pour s'exprimer par des crises épileptiques. Ce type de transmission requiert des études d'agrégation familiale. Cette observation a même mené à une révision de la classification des épilepsies en 2005. Des études sont en cours dans plusieurs pays incluant le Canada, avec le Dr Patrick Cossette en tête de file, neurologue au CHUM (voir le chapitre 4).

La recherche sur les crises d'épilepsie

Initiation de la crise d'épilepsie (ictogénèse)

Un des facteurs limitant la qualité de vie des personnes atteintes d'épilepsie est le fait que les crises surviennent n'importe quand et n'importe où ; il est pratiquement impossible de prédire la survenue des crises. Certaines situations ou circonstances telles la privation de sommeil, la fièvre et le stress ont été bien identifiées comme favorisant l'apparition de crises épileptiques. Mais comment ces différents facteurs transforment l'activité inter-ictale (activité épileptique enregistrée entre les crises) en activité ictale (activité épileptique enregistrée pendant une crise) demeure un mystère. On sait également que la montée de température du sujet peut entraîner une relâche de glutamate ; mais comment celle-ci induit une crise (convulsion fébrile) dans un cerveau non épileptique demeure inconnu. La recherche nous a toutefois permis de mieux comprendre la transition entre l'état intercritique et la crise. Cette recherche se fait sur des tranches d'hippocampe.

L'hippocampe est une région du lobe temporal qui est très susceptible de générer de l'activité épileptique. Les travaux en recherche sur l'épilepsie se font sur des prélèvements (tranches) d'hippocampe de souris qui sont conservés dans un milieu biologique permettant aux cellules de continuer à fonctionner comme si elles étaient encore dans le cerveau de l'animal. Il a été démontré que l'application d'agoniste, ou activateur, des récepteurs métabotropes du glutamate favorise la progression de l'activité inte-rictale vers l'activité ictale sur les tranches d'hippocampe. Et ce qui est encore plus important, c'est que le bloc ou inactivation de ces mêmes récepteurs peut effectivement empêcher l'apparition de décharges ictales même en présence de conditions favorables à la crise. De plus, les récepteurs métabotropes sont des récepteurs péri-synaptiques (c'est-à-dire situés autour de la région où se font les contacts entre les cellules) qui ne sont activés que lors d'une relâche massive de glutamate telle que l'on voit chez un animal exposé à de la haute température.

Une substance qui n'agirait que sur ces récepteurs métabotropes serait un bon médicament pour le traitement des convulsions fébriles chez l'enfant car les effets secondaires seraient limités. Il n'est cependant pas démontré que ces récepteurs soient en cause pour les autres facteurs précipitants. Il est donc important d'étudier le rôle de d'autres neurotransmetteurs qui modulent également l'activité du système nerveux central, tel l'acétylcholine.

Il a aussi été démontré que la stimulation électrique massive d'un foyer épileptique place celui-ci dans une période de non-réponse, c'est-à-dire une période où il ne peut plus être activé et ne peut plus générer d'activité épileptique. Certains chercheurs travaillent donc à la stimulation systématique du foyer épileptique lorsque les décharges inter-ictales augmentent en fréquence. Ces chercheurs tentent actuellement de développer un moyen de faire cette stimulation de façon directe sur le foyer épileptique plutôt que de façon indirecte, comme c'est le cas avec le stimulateur du nerf vague. Cette technique nécessite une connaissance précise du foyer impliqué et l'implantation d'une électrode pouvant non seulement envoyer une stimulation électrique mais aussi reconnaître l'activité électrique locale. Ces recherches sont en cours et l'emploi de la magnétoencéphalographie, en ajout à l'EEG (dont une vient d'être installée à l'Université de Montréal), devrait nous permettre de mieux localiser le foyer épileptique.

Arrêt de la crise d'épilepsie

La plupart des crises d'épilepsie sont courtes et ne causent aucun dommage au cerveau. Cependant, si elles durent plus de 30 minutes et surtout plus d'une heure, elles peuvent entraîner des dommages importants au cerveau. Encore une fois, pour des raisons que l'on s'explique mal, certaines personnes présentent ce type de crises prolongées (*status epilepticus* ou état de mal épileptique).

Les mécanismes d'inhibition impliqués dans l'arrêt des crises d'épilepsie seraient intimement liés à la relâche du neurotransmetteur GABA et à l'activation de canaux hyperpolarisants potassiques. Les évidences expérimentales démontrent cependant que si l'activation de canaux potassiques mène effectivement à l'arrêt de la crise, cette activation semble plutôt induite par des canaux potassiques calcium ou sodium dépendants plutôt que GABA dépendants. De plus, le maintien de l'activité épileptique semble dépendre de la transformation d'un signal inhibiteur en un signal d'excitation récurrente, que ce soit par des canaux calciques dans les épilepsies généralisées ou des canaux potassiques dans les épilepsies partielles. En bref, les mécanismes d'arrêt des crises demeurent méconnus et la recherche devrait nous permettre de les identifier pour, ainsi, prévenir les épisodes d'état de mal épileptique et ses conséquences néfastes.

Transformation du cerveau normal en cerveau épileptique (épileptogénèse)

La plupart des épilepsies non génétiquement déterminées surviennent suite à un facteur déclencheur dont les plus fréquents sont une convulsion fébrile prolongée, un traumatisme crânien et des complications neurologiques autour de la naissance. Il est intéressant de noter que quand ces facteurs surviennent en bas âge, ils peuvent tous mener au développement d'une épilepsie temporale. Ceci s'explique par le fait que l'hippocampe se situe dans le lobe temporal et que cette structure a une anatomie et une physiologie qui en font un circuit neuronal fragile à toute insulte, et dans lequel se développera fréquemment un foyer épileptique. L'étude de l'épileptogénèse s'intéresse aux mécanismes qui transforment les circuits normaux en circuits épileptiques et cette recherche se fait principalement sur le circuit tri-synaptique (trois connections majeures) de l'hippocampe, comme c'est le cas du programme de recherche que nous dirigeons dans notre laboratoire.

Il y a plusieurs raisons qui font que l'étude de l'hippocampe est d'un grand intérêt pour comprendre comment une zone normale de cerveau se transforme en zone épileptogène, capable de déclencher des crises épileptiques. Premièrement, le circuit hippocampique comporte des cellules *pacemaker* qui peuvent se réactiver même après une inhibition. Cette caractéristique soustend la susceptibilité aux crises. Deuxièmement, les interneurones, qui sont des cellules qui inhibent la propagation de signaux de l'hippocampe vers le reste du cerveau, sont particulièrement vulnérables à la mort neuronale suite à une convulsion prolongée. Ceci pourrait entraîner une certaine désinhibition des efférences hippocampales suite aux convulsions prolongées, menant donc vers les crises récurrentes. Nos études ont de plus démontré que dans le cerveau immature, la perte de ces interneurones représente le seul changement anatomique suite à l'état de mal épileptique, ce qui milite donc en faveur du rôle clé de ces cellules dans les mécanismes d'épileptogénèse. De plus, en bloquant leur perte par des antagonistes des récepteurs métabotropes, on peut prévenir la perte neuronale et l'épilepsie chronique. Encore une fois, les récepteurs métabotropes semblent jouer un rôle clé dans ces mécanismes.

Nos recherches suggèrent aussi que pour devenir épileptique, le cerveau sain doit subir soit une insulte extrême (par exemple un état de mal de plus de deux heures induit par l'acide kainique) soit deux insultes au cours du développement. Ce modèle de double insulte représente mieux la réalité clinique car il s'applique aux convulsions néonatales, fébriles et post-traumatiques. Aussi, une susceptibilité anatomique ou génétique peut entraîner le développement de l'épilepsie suite à une insulte qui, à elle seule, ne peut l'entraîner. Ceci expliquerait bien la complexité de l'hérédité des familles touchées par l'épilepsie.

Les conséquences des crises d'épilepsie

Dommages neuronaux

Tel que mentionné plus haut, les convulsions, surtout les crises prolongées, entraînent des dommages au cerveau. Ceci a longtemps été suggéré par la clinique (depuis Hippocrate) mais a ensuite été confirmé par l'étude des modèles animaux. Chez l'animal effectivement, le fait de provoquer des crises convulsives prolongées par des toxines, des lésions physiques ou la stimulation électrique, entraîne une perte neuronale et une réorganisation synaptique avec prolifération des connections au niveau de l'hippocampe. La recherche se tourne actuellement vers les mécanismes pouvant expliquer ces changements et principalement l'identification des sous-classes de neurones qui sont particulièrement vulnérables aux dommages. Plusieurs chercheurs ont postulé initialement que cette perte neuronale était la cause de l'épileptogénèse, mais il est maintenant clair que l'épileptogénèse peut survenir sans évidence de perte neuronale majeure.

L'entrée massive de calcium par les récepteurs glutamatergiques participe à cette neurotoxicité (mort neuronale). Pour empêcher cette toxicité, on pourrait envisager d'antagoniser les récepteurs ionotropes du glutamate impliqués dans la transmission synaptique rapide. Mais ces mêmes récepteurs sont aussi impliqués dans les phénomènes mnésiques. Leur blocage entraîne des effets secondaires importants sur le plan de la mémoire, ce qui limite cette avenue thérapeutique chez l'humain. Nous cherchons donc une solution de rechange pour bloquer cette perte neuronale et, encore une fois, les récepteurs métabotropes sont une cible intéressante pour ce faire, particulièrement au niveau des neurones inhibiteurs. Le développement de médicaments agissant au niveau des récepteurs métabotropes pourrait nous permettre de prévenir les conséquences cognitives des crises d'épilepsie et pourrait aussi prévenir l'épileptogénèse dans certains cas.

Qualité de vie

Une attention accrue est portée depuis quelques décennies à la qualité de la vie, c'est-à-dire aux problèmes psychologiques et sociaux auxquels sont confrontées les personnes atteintes d'épilepsie, mais les progrès sont lents et les services insuffisants. En fait, il est devenu évident que la stigmatisation est la pire des conséquences de l'épilepsie pour la plupart des personnes atteintes. Les problèmes d'ostracisme restent les mêmes un peu partout. Très souvent les épileptiques restent confrontés aux vieilles croyances surnaturelles, au rejet social et à la discrimination. Même dans les pays développés, les crises d'épilepsie demeurent taboues et les personnes qui en souffrent préfèrent ne pas en parler.

La recherche sur la qualité de vie nous montre que seuls les patients libres de crise ont une qualité de vie acceptable. Ces études nous montrent qu'à intelligence équivalente, les épileptiques sont moins éduqués, moins actifs sur le marché de l'emploi et qu'ils souffrent de problèmes importants de l'estime de soi. Face à cette problématique, plusieurs centres visant à développer une prise en charge globale des personnes atteintes d'épilepsie ont mis sur pied des programmes d'intervention psychosociale. Un tel programme, encore au stade de la recherche clinique, existe au CHU Sainte-Justine en collaboration avec Épilepsie Montréal Métropolitain. Ces programmes apportent de l'éducation aux patients, à leur famille et, de façon plus importante, à leur environnement. Les enfants inscrits à ce programme nous apparaissent plus épanouis et beaucoup plus confiants que d'autres enfants atteints d'épilepsie. Ceci nous confirme le fait que la seule façon de vaincre les impacts psychosociaux négatifs de l'épilepsie demeure l'éducation.

L'avenir de la recherche sur l'épilepsie

Plusieurs défis nous attendent au cours des prochaines décennies. Le diagnostic génétique doit devenir accessible à tous, ce qui n'est pas le cas actuellement, car chaque forme d'épilepsie ne peut être diagnostiquée que dans certains laboratoires spécifiques. Avec une plus grande disponibilité de ces tests vont venir des problèmes éthiques qu'il nous faudra résoudre en temps et lieu. La recherche sur les cellules souches suscite de grands espoirs, mais des obstacles majeurs devront être surmontés avant qu'elle ne débouche sur des résultats thérapeutiques. Dans le domaine de la pharmacothérapie, nous devrons arriver à identifier les patients atteints d'épilepsie en raison d'un manque d'inhibition et ceux atteints par excès d'excitation, afin de déterminer les médicaments spécifiques que nous pourrons utiliser. À l'heure actuelle déjà, les études de spectroscopie par résonance magnétique que nous effectuons tentent de répondre à ces questions.

Nous vivons donc une période d'effervescence dans la recherche sur l'épilepsie, et le Québec demeure un chef de file mondial dans le domaine.

Références

BIEVERT C., B.C. SCHROEDER, C. KUBISCH et al. «A potassium channel mutation in neonatal human epilepsy». *Science* 1998 279 (5349): 403-406.

CHARLIER C., N.A. SINGH, S.G. RYAN et al. «A pore mutation in a novel KQT-like potassium channel gene in an idiopathic epilepsy family». *Nature Genetics* 1998 18 (1): 53-55.

FISHER R.S., W. VAN EMDE BOAS, W. BLUME et al. « Epileptic seizures and epilepsy : definitions proposed by the International League Against Epilepsy (ILAE) and the International Bureau for Epilepsy (IBE) ». *Epilepsia* 2005 46 (6) : 470-472.

GOURFINKEL-AN I., S. BAULAC, R. NABBOUT et al. « Monogenic idiopathic epilepsy genes ». *Lancet Neurology* 2004 3 : 209-218.

LEE A.C., R.K. WONG, S.C. CHUANG, H.S. SHIN et R. BIANCHI. « Role of synaptic metabotropic glutamate receptors in epileptiform discharges in hippocampal slices ». *Journal of Neurophysiology* 2002 88 : 1625-1633.

CHAPITRE 8

L'IMPORTANCE DE LA PRISE EN CHARGE MULTIDISCIPLINAIRE

▼

PAR DOMINIC CHARTRAND

L'épilepsie est une condition chronique pouvant parfois provoquer chez le sujet qui en est atteint des désordres biopsychosociaux qui varient selon un spectre d'intensité allant de peu d'impact à un dysfonctionnement total. Cette variation d'intensité dans le fonctionnement dépend des quatre principaux facteurs de risque (voir le tableau ci-après). La famille et son entourage (milieu scolaire, communauté) peuvent également être affectés dans leur fonctionnement au même titre que l'épileptique mais à des degrés variables. La capacité de s'adapter à la situation épileptique dépend tant des ressources internes d'un individu (ex. : perception anxieuse ou plus sereine de la situation ; sentiment de honte ou bonne estime de soi ; dénégation ou combativité) que des ressources externes (ex. : communication ouverte ou inexistante, liens affectifs adéquats, information adéquate ou insuffisante, absence d'information) et de l'utilisation que chacun en fait.

TABLEAU 1

Facteurs influençant le fonctionnement (facteurs de risque de troubles cognitifs ou comportementaux)

Facteurs reliés à l'épilepsie

- Le type de crise et le syndrome épileptique.
- La fréquence des crises (plus de crises ou mauvais contrôle = plus de risques
- La durée des crises (ex. : *status epilepticus*

(...)

- Les pathologies cérébrales sous-jacentes (présence d'une lésion, infection, malformation).
- Les symptômes manifestés / les aires cérébrales touchées (ex. : lobe occipital, atteinte visuelle, hallucination).
- Âge d'apparition des crises (enfant plus jeune = risque plus élevé).

Facteurs reliés aux traitements

- La compliance au traitement antiépileptique et son efficacité.
- Les effets secondaires des antiépileptiques.
- L'utilisation d'une monothérapie ou d'une polythérapie (pharmacorésistance).
- Les interactions médicamenteuses (ex. : antiépileptiques et antibiotiques).

Facteurs psychosociaux

- Les préjugés sociaux et leurs conséquences (ex. : isolement).
- Les attitudes du patient et de ses proches (ex. : surprotection, stress parental).
- La dynamique relationnelle/familiale.

Facteurs démographiques

- L'âge d'apparition des crises.
- Le sexe (garçons plus à risque).
- Le statut socioéconomique (éducation, revenus, etc.).
- La distance du centre hospitalier.

Tous ces facteurs de risque affectent le fonctionnement d'un individu, évoluent dans le temps et modifient le degré d'intensité de la condition. Il s'agit d'un processus dynamique. La compréhension du processus dynamique de l'épilepsie et des facteurs qui l'influencent est essentielle à une bonne prise en charge. Reconnaître les forces et les faiblesses d'une situation contribuent à bien cibler les interventions.

Une approche globale et structurée par des professionnels qualifiés est primordiale à la reconnaissance de la situation problématique et à son traitement. La gestion de l'épilepsie de l'enfance requiert plus qu'un simple contrôle des phénomènes convulsifs. En effet, les enfants atteints d'épilepsie souffrent souvent d'une comorbidité qui s'exprime par des désordres psychiatriques, des difficultés d'apprentissage et, également, par des problèmes de développement psychosocial (voir le tableau 2). La présence de cette comorbidité ajoute à la complexité du traitement proposé. La qualité de vie est plus souvent affectée par les problèmes cognitifs et d'apprentissage que par la survenue de crises épileptiques.

TABLEAU 2

Fonctions souvent affectées par l'épilepsie

- Comportements (ex. : irritabilité, hyperactivité, impulsivité, agressivité, etc.).
- Troubles de l'humeur (ex. : anxiété, dépression).
- Troubles psychotiques.
- Estime de soi.
- Fonctions cognitives (ex. : attention, mémoire, vitesse de performance, etc.).
- Apprentissages (ex. : compréhension, raisonnement).
- Adaptations sociales (ex. : isolement, surprotection parentale).
- Troubles du sommeil.

Il existe un continuum entre différents types de pratique professionnelle (voir la figure 20). Plus les situations épileptiques sont complexes et les comorbidités nombreuses et variées, plus le fonctionnement interdisciplinaire est nécessaire et dès lors, la mise en commun de l'expertise des intervenants impliqués devient encore plus importante. Peu importe le type de pratique, toutes ont ceci en commun :

- l'intervention est centrée sur le patient et sa famille ;
- l'intervention répond à des besoins de santé ciblés ;
- l'intervention permet l'atteinte d'objectifs réalistes et mesurables dans un délai précis.

Pratique parallèle
↓
Collaboration
↓
Coordination
↓
Intervention muldisciplinaire
↓
Intervention interdisciplinaire

Figure 20
Continuum de l'intervention clinique vers l'interdisciplinarité.

Vu la spécificité du milieu pédiatrique et les besoins de la clientèle, le modèle de fonctionnement le plus souvent rencontré est l'équipe multidisciplinaire pratiquant des interventions multidisciplinaires ou interdisciplinaires. Trois volets d'actions sont utilisés pour répondre aux besoins de la clientèle épileptique pédiatrique.

Tableau 3
Volets d'action de l'équipe multidisciplinaire

Préventif	Enseignement : • à la population en général ; • à l'enfant et sa famille ; • pour démystifier l'épilepsie ; • pour réduire les préjugés associés ; • pour permettre l'intégration. Évaluation : • déterminer les fragilités afin d'intervenir précocement.
Curatif	Évaluation : • à l'aide de tests diagnostiques, établir un diagnostic précis et identifier les comorbidités.

	Traitement : • à l'aide de médicaments, chirurgies, ou autres thérapies, répondre aux besoins de santé du patient ; • soutenir et accompagner l'enfant et sa famille.
Prospectif	Recherche : • revoir les façons d'intervenir, réévaluer les traitements et les soins ; • innover et participer aux recherches sur les nouveaux traitements, les outils, diagnostics et les soins.

Composition de l'équipe multidisciplinaire

Afin d'instituer des soins globaux et adaptés aux situations complexes de l'enfant épileptique et de sa famille, il est nécessaire d'établir une approche multidisciplinaire. La multidisciplinarité est une intervention coordonnée de divers professionnels qui, dans un esprit collégial, répondent aux besoins de santé d'un individu et de son entourage. Il s'agit d'une rencontre de plusieurs disciplines qui analysent la situation en juxtaposition, proposent des interventions et échangent de l'information, sans relation réciproque ni synthèse commune. L'équipe multidisciplinaire se compose du neurologue ou médecin traitant, d'une infirmière spécialisée, d'un travailleur social, d'un psychologue et d'un neuropsychologue. Le patient et son entourage sont au cœur des interventions et constituent de véritables partenaires pour les intervenants qui les entourent, au plan des prises de décision sur leur santé. Finalement à l'équipe se greffent, parfois et selon les besoins, d'autres professionnels (ex. : psychiatre, orthophoniste, nutritionniste, enseignant, psychoéducateur, intervenant du CLSC) qui permettent par leur expertise une compréhension complémentaire des problématiques vécues, des besoins de santé et l'atteinte de résultats au moyen d'interventions personnalisées.

Le neurologue ou médecin traitant

Au moyen de questionnaires, d'évaluations physiques et neurologiques, et d'examens diagnostiques, le neurologue établit un diagnostic de la situation. Il assure le suivi régulier du patient épileptique, établit un traitement approprié à sa situation et assure sa gestion. La participation du patient (s'il est âgé d'au moins 14 ans) et des parents dans les prises de décision et la gestion des soins s'avère primordiale. Le neurologue représente la principale source d'informations médicales pour le patient et les parents. Il contribue à la compréhension de la situation épileptique de l'enfant et obtient ainsi de la famille un consentement éclairé quant aux soins et traitements à venir. Le neurologue adresse aux professionnels de l'équipe les demandes de soins, de suivis et de prise en charge. Il est celui qui convoque les réunions multidisciplinaires lors de situations épileptiques complexes.

L'infirmière spécialisée-coordonnatrice

L'infirmière a un rôle primordial en épilepsie pour ce qui est de coordonner et de favoriser la communication entre les soignants et la famille. Elle possède des connaissances pointues de l'épilepsie, mais c'est son expertise diversifiée de plusieurs champs de compétences biopsychosociales qui lui permet d'obtenir une vision plus globale de la situation de santé. Elle est habilitée à reconnaître les situations problématiques qui accompagnent l'épilepsie (voir le tableau 2) et à intervenir afin d'assurer le bien-être du patient et de sa famille.

Dans sa mission de soignant, l'infirmière spécialisée est un expert pour évaluer l'état de santé du patient, surveiller et dépister les signes et symptômes de complication et les problèmes d'adaptation à l'épilepsie. Elle assure la gestion des traitements et évalue les besoins en information du patient et de sa famille concernant l'épilepsie ou toute autre question de santé. L'ensemble des interventions de l'infirmière s'accomplit au moyen de relances téléphoniques ou par sa présence lors des visites de suivi ou lors d'une hospitalisation. Elle est un expert mais également un partenaire pour les membres de la famille. Elle les accompagne dans leur adaptation ou réadaptation, coordonne les hospitalisations électives, les congés et le suivi à la maison avec les intervenants de première ligne (CLSC, pédiatre, école). L'infirmière participe également à la recherche clinique. Elle s'occupe de la gestion de la banque de données et coordonne les visites selon le protocole établi par le chercheur. Par la nature de ses fonctions, l'infirmière est qualifiée d'intervenant pivot au sein de l'équipe multidisciplinaire. Elle coordonne les rencontres cliniques et s'assure que chaque membre convoqué comprend l'enjeu de la situation; elle participe aux échanges et peut animer la rencontre. Elle s'assure de la mise en place du plan d'intervention individualisé (plan de soin) et de sa compréhension/participation au sein de la famille. Elle vérifie l'atteinte des objectifs établis par l'équipe selon les délais identifiés et en informe l'équipe.

Le travailleur social

Quand un enfant est atteint d'épilepsie, l'équilibre familial peut être affecté. L'impact de l'épilepsie sur la famille change tout au long de la vie et, ultimement, la qualité de la vie dépend des mécanismes d'adaptation à la maladie (*coping*) auxquels la famille contribuera. La majorité des références au service social sont faites pour des troubles d'adaptation à la maladie ou des troubles de comportement, des difficultés relationnelles, des conflits entre les membres de la famille, des problèmes d'adhérence aux traitements, pour des difficultés à obtenir des ressources et, finalement, pour obtenir de l'information. La référence à un travailleur social se fait par ou avec l'accord du neurologue traitant. Le travailleur social procède à une évaluation de la situation et, par la suite, établit avec les membres de la famille des stratégies d'intervention adaptées aux besoins. Son rôle est d'assurer l'équilibre au sein de la famille. Le travailleur social au sein de l'équipe multidisciplinaire est un maillon important dans la compréhension de la dynamique familiale. Il favorise l'utilisation de stratégies d'adaptation par l'intermédiaire des ressources de la famille, interne ou externe (milieu scolaire, CLSC, centre de réadaptation ou tout autre organisme). Il accompagne la famille à chaque étape du deuil que peut entraîner l'annonce du diagnostic d'épilepsie.

Le neuropsychologue

La neuropsychologie est une surspécialisation de la psychologie. Elle permet l'évaluation des forces et des déficits cognitifs d'un individu. L'épilepsie peut parfois provoquer des dysfonctionnements neurologiques chez l'enfant qui en est atteint. L'évaluation neuropsychologique aide les parents et les éducateurs à comprendre la nature des difficultés de l'enfant et leur relation avec l'épilepsie. Elle permet d'élaborer des interventions scolaires adaptées à la situation de l'enfant et de mesurer les habiletés scolaires et cognitives de l'enfant au fil du temps.

Le neuropsychologue participe à l'investigation des épilepsies focales qui peuvent éventuellement être traitées par chirurgie. Il aide à localiser des anomalies structurelles ou fonctionnelles et assure un suivi de l'état de l'enfant afin d'objectiver la réponse aux traitements (chirurgical ou autres).

Le neuropsychologue participe également à la modulation (*design*) et à l'exécution du test WADA. Pendant ce test, on endort un hémisphère cérébral à la fois à l'aide d'une médication intra-artérielle. Le neuropsychologue présente des stimuli au patient et vérifie la réaction de celui-ci. Ce test permet de déterminer l'hémisphère responsable de la mémoire et du langage du patient (voir le chapitre 6). Lors d'une imagerie par résonance magnétique fonctionnelle, le neuropsychologue permet d'utiliser des tests visant à stimuler certaines fonctions comme le langage ou le contrôle moteur afin d'identifier les structures cérébrales responsables de ces fonctions.

L'âge de l'enfant, son niveau développemental et la sévérité de l'atteinte clinique représentent des variables à considérer lors d'une évaluation neuropyschologique. Cette évaluation peut comprendre des mesures d'intelligence, de langage et des habiletés grapho-motrices, de l'orientation spatiale et du fonctionnement de la motricité fine. Elle inclut aussi des mesures de l'attention, des fonctions exécutives, de la mémoire ainsi que de la vitesse d'exécution.

La nature même des fonctions du neuropsychologue l'amène à intervenir étroitement auprès des milieux scolaires afin d'identifier la nature des problèmes scolaires ou comportementaux (parfois déjà évalués par les intervenants du milieu scolaire).

Ensemble, ils mettent en œuvre les recommandations émanant du rapport neuropsychologique. Au sein de l'équipe multidisciplinaire, le neuropsychologue joue un rôle important dans l'identification des forces et déficits cognitifs de l'enfant. Il participe activement au plan d'intervention individualisé et à son application. Il permet et assure, si nécessaire, la liaison avec les milieux scolaires, de réadaptation ou de stimulation, selon l'âge de l'enfant. L'intervention neuropsychologique auprès d'un enfant atteint d'épilepsie fait suite à une requête du neurologue traitant.

Le psychologue

Les interventions du psychologue sont nécessaires en raison des comorbidités (tableau 2) associées à l'épilepsie. Son rôle au sein de l'équipe en est un d'évaluateur, de thérapeute, de consultant et de collaborateur. Il participe à l'évaluation développementale cognitive auprès d'enfants qui semblent présenter des retards sur le plan développemental et intellectuel, en vue de les orienter vers les ressources appropriées (programme de développement, centre de stimulation précoce, orthophonie, ergothérapie, etc.) ou de procéder à l'orientation scolaire.

L'épilepsie peut provoquer chez l'enfant des désordres affectifs intimement liés à la maladie. À l'aide d'entrevues cliniques ou, si nécessaire, de tests psychologiques, le psychologue est en mesure d'évaluer la nature des désordres affectifs rencontrés (perte de l'estime de soi, anxiété, etc.) ou des problèmes de comportement associés (ex. : agitation, colère, impulsivité, etc.). Il contribue à soutenir psychologiquement les parents pour la mise en place auprès de leur enfant d'attitudes et de règles éducatives saines. Il permet la mesure de l'impact d'une médication sur le comportement. Il contribue à préparer l'enfant à subir des tests ou des traitements invasifs (ex. : test WADA, neurochirurgie, etc.). Parfois avec l'aide du psychiatre, il collabore au moyen de tests projectifs à l'élaboration du diagnostic différentiel entre les crises épileptiques et les pseudo-crises.

La psychothérapie de groupe ou individuelle fait partie de l'arsenal thérapeutique du psychologue et vise à améliorer l'estime de soi et l'acceptation du diagnostic. Le psychologue dirige son attention surtout vers l'enfant. Durant la prise en charge, le psychologue peut faire le bilan de la situation aux parents, à l'école ou dans un autre milieu de vie, afin d'établir un plan de soins approprié.

Le psychologue a un rôle de consultant au sein de l'équipe multidisciplinaire. Sa vision permet un éclairage complémentaire de la situation de santé et contribue à la globalisation des soins. Il est souvent sollicité afin de collaborer avec d'autres professionnels (psychiatre, orthophoniste, travailleur social) à l'évaluation et à la mise en place d'un plan d'intervention individualisé.

Les professionnels affiliés

L'enfant épileptique, qui présente des difficultés spécifiques d'apprentissage, des problèmes graves de comportement et de développement, et sa famille, qui peut manifester un besoin d'information et de soutien sur la condition épileptique, doivent parfois rencontrer les professionnels affiliés pour obtenir de l'information et du soutien face à ces problèmes. Ces professionnels disposent d'une expertise pointue qui permet de soutenir l'équipe de soins afin de répondre aux besoins spécifiques du patient et de sa famille. Ils se divisent en deux groupes, soit les professionnels intrahospitaliers et extrahospitaliers. Vous retrouverez au tableau 4 une brève description du contextes dans lequel ces professionnels sont impliqués.

Tableau 4

Professionnels affiliés et problématiques dont ils sont responsables

Professionnels intrahospitaliers

- *Pédopsychiatre*: psychopathologies majeures, troubles de la personnalité et du comportement, troubles envahissant du développement.
- *Orthophoniste*: troubles de la communication et du langage (ex.: dyslexie, retard du langage, dysphasie).
- *Nutritionniste*: troubles alimentaires (ex.: dysphagie, effet secondaire aux antiépileptiques, troubles de croissance, conseils et informations nutritionnels, diète cétogène).

- *Physiothérapeute/ergothérapeute*: troubles de la motricité fine ou grossière, évaluation développementale, troubles sensitifs.
- *Pédiatre*: consultant pour les maladies de l'enfance.

Professionnels extrahospitaliers

- *Pédiatre/médecin de famille*: soins de santé primaires et secondaires à l'enfant et sa famille.
- *Groupe communautaire en épilepsie*: soutien et information à l'enfant et à sa famille, soutien à l'intégration, sensibilisation aux intervenants et grand public.
- *Spécialiste de l'éducation/milieu scolaire*: difficultés d'apprentissage et de comportements, orientation scolaire.
- *CLSC*: soins de santé primaires et secondaires, soutien à l'enfant et à sa famille pour les besoins biopsychosociaux.
- *Milieu de réadaptation en déficience intellectuelle et/ou motrice*: soutien et réadaptation physique ou intellectuelle, intégration sociale, soutien aux parents ou au milieu naturel.

L'intervention interdisciplinaire

La situation épileptique d'un enfant entraîne une série d'événements ou réactions qui affectent sa santé dans sa globalité. Quand cette situation entraîne des besoins de soins accrus et nécessite l'intervention et à la présence d'un grand éventail de professionnels de la santé, alors la situation est dite « complexe ». Lors de situations épileptiques complexes, l'expertise de chaque professionnel doit être mise en commun dans un esprit de collaboration et d'efficacité: c'est l'approche interdisciplinaire.

L'intervention interdisciplinaire s'effectue au moyen d'une ou de plusieurs rencontres avec les intervenants qui jouent un rôle actif dans une situation épileptique complexe. Lors de cette rencontre, les membres de l'équipe multidisciplinaire (incluant l'enfant et sa famille) échangent l'information recueillie grâce à leurs évaluations, identifient les besoins de santé et établissent la priorité des soins. Les conclusions de cet échange sont

Tableau 5
Éléments permettant d'établir la différence entre l'intervention interdisciplinaire et l'intervention multidisciplinaire

Éléments	Intervention interdisciplinaire	Intervention multidisciplinaire
Le savoir	Partagé	Juxtaposé
Les objectifs	Communs	Propres à chaque discipline
L'intervention	Concertée, en synergie	Parallèle
L'interaction	Centrée sur mise en commun et la synthèse conjointe de l'information	Centrée sur l'échange de l'information
La décision	Partagée	Propre à chaque professionnel
La responsabilité	Partagée	Assumée par chaque profes-sionnel
L'évaluation	Selon la performance de l'équipe	Selon la perfor-mance de chaque individu

consignées dans un plan d'intervention individualisé (PII). Celui-ci est approuvé par l'ensemble des intervenants et sert de guide de référence. Il s'agit d'un document officiel qui est déposé au dossier médical de l'institution. Comme l'épilepsie est une situation de qui évolue et se transforme, le plan d'intervention individualisé doit régulièrement être révisé à la convenance des intervenants et dans un délai déterminé par l'équipe. La coordination et la gestion du PII incombent à l'intervenant pivot – il s'agit d'un membre de l'équipe qui est significatif pour l'enfant et sa famille et qui fait le pont entre eux et les membres de l'équipe.

Conclusion

Les interventions des professionnels devraient cibler tout le système familial considérant qu'une maladie chronique est bien plus qu'un problème individuel de santé. Il a été clairement établi que le système familial influence le cours d'une maladie de diverses façons. La famille devrait être le contexte dans lequel les défis et les problèmes de *coping* face à une maladie sont résolus. L'approche thérapeutique devrait être inclusive et globale, requérant la collaboration de plusieurs professionnels. Certains auteurs soulignent d'ailleurs le fait que dans la prise en charge de l'épilepsie, une approche multidisciplinaire, coordonnée et empathique est nécessaire afin de répondre aux différents besoins des jeunes enfants et de leurs familles, et de minimiser les conséquences négatives.

Le rôle de l'équipe soignante consiste à bien évaluer les caractéristiques de l'enfant (présentées plus haut), à accompagner et à encourager l'ensemble de la famille à développer des stratégies efficaces d'adaptation pour faire face à l'épilepsie, dans le but d'améliorer la qualité de vie. Ces interventions s'inscrivent dans un processus dynamique modulé au fil du temps par l'impact de la maladie et ses conséquences, et par les réponses adaptatives du milieu familial. Outre des diagnostics et des traitements de qualité, l'information transmise ainsi que l'accessibilité à des services et à un soutien professionnels sont des éléments essentiels de soins empathiques. Ces services doivent aborder les problématiques développementales, éducatives et psychosociales auxquelles font face ces enfants et leur famille. L'objectif principal pour les professionnels de la santé travaillant auprès d'eux est de les guider dans leurs processus d'adaptation à celle maladie chronique. Il faut que la famille et l'enfant apprennent à vivre non seulement avec la maladie, mais aussi malgré la maladie.

DEUXIÈME PARTIE

LES ASPECTS PSYCHOSOCIAUX

CHAPITRE 9
ÉPILEPSIE ET DÉVELOPPEMENT

PAR ANNE LORTIE, ÉLAINE GARANT ET CATHERINE-MARIE VANASSE

Notions de base

Les phénomènes physiologiques de l'épilepsie sont les mêmes chez l'enfant et chez l'adulte mais les répercussions sont différentes. En effet, le cerveau de l'enfant n'est pas un cerveau adulte en plus petit, mais un cerveau en plein développement, dont les bases histologiques (c'est-à-dire l'organisation des neurones) et le fonctionnement physiologique sont clairement différents de ceux de l'adulte.

Déjà à la naissance, le cerveau humain a un nombre définitif de cellules nerveuses ou neurones. Ces neurones ont déjà commencé à établir des connexions entre eux, mais beaucoup reste

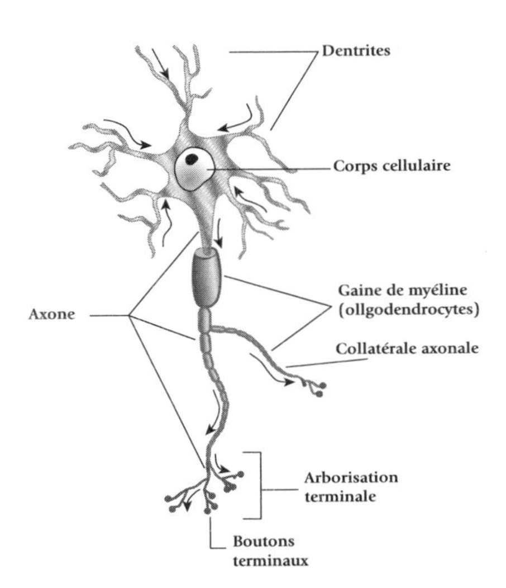

Figure 21
Schéma d'un neurone

encore à faire. Les connexions entre les neurones se font sur deux plans : d'une part les cellules essaient d'établir le plus de contacts possibles avec les neurones du voisinage et les neurones à distance. Pour ce faire, les neurones développent ce qu'on appelle l'arborisation : il s'agit de prolongements destinés à envoyer (axones) et à recevoir (dendrites) de l'information.

D'autre part, les neurones ont initialement une exubérance de synapses. La synapse est la région où s'établit le contact entre deux cellules. C'est à cet endroit que la cellule émettrice (qui transmet l'influx nerveux électrique, ou potentiel d'action) libère le neurotransmetteur qui est la substance chimique qui permet d'établir un contact entre deux cellules et qui est libérée par le potentiel d'action. La cellule réceptrice, qui reçoit l'information, le fait en liant le neurotransmetteur aux récepteurs de sa membrane. Ceci permet à la cellule réceptrice de générer à son tour un potentiel d'action.

L'exubérance de synapses est due à un nombre très élevé de contacts entre les cellules et également à un nombre très élevé

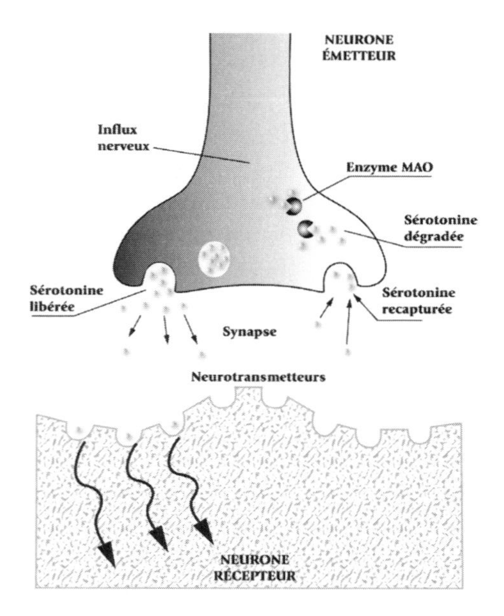

Figure 22
Vue détaillée d'un synapse qui illustre la libération, la recapture et la dégradation d'un neurotransmetteur (ici, la sérotonine).

de récepteurs sur la membrane de la cellule réceptrice. Cette exubérance d'arborisation, de contacts et de récepteurs a un but spécifique : permettre aux cellules du cerveau d'entrer en contact avec le plus de neurones possibles, ceci dans un contexte de maturation cérébrale.

La maturation cérébrale comporte deux aspects : un aspect anatomique, où toutes les structures du cerveau doivent se développer pour être à la bonne place (ceci se produit essentiellement pendant la grossesse) et un aspect fonctionnel. Cet aspect fonctionnel se développe déjà avant la naissance. Mais il se précise bien davantage une fois que l'enfant est né. Par développement fonctionnel, on entend le développement du cerveau qui va permettre à l'enfant de décider par exemple de ses mouvements, de sa pensée, bref de ce qu'il pourra faire de façon volontaire. On entend également par développement fonctionnel tout le développement qui va lui permettre de percevoir son environnement (le toucher, l'odorat, la vision etc.). Finalement, cela inclut tout ce qui va permettre à l'enfant de faire le lien entre ce qu'il perçoit et la façon dont il va agir volontairement par la suite, donc sa réaction à l'environnement. Il est évident que ce processus d'apprentissage se poursuit tout au long de la vie mais qu'il est particulièrement intense durant l'enfance.

Si on reprend l'aspect anatomique décrit plus haut, on peut de façon simplifiée expliquer la corrélation entre les apprentissages et les changements histologiques qui se produisent pendant la maturation cérébrale. Dès la naissance et pendant les premiers mois de vie, le cerveau a une quantité excessive de prolongements cellulaires, de synapses et de récepteurs. Ceci lui permet d'être disponible au maximum à l'environnement et d'établir au mieux ses réactions à l'environnement. En effet, comme les cellules ont beaucoup de contacts entre elles, plusieurs cellules peuvent réagir à une stimulation et générer une réponse à cette stimulation. Mais si la situation restait telle quelle, le cerveau humain resterait toujours hyper stimulable et hyper réactif, ce qui ne serait pas très fonctionnel. Pour éviter cela, le cerveau « décide » après un certain temps de stimulation de faire le ménage dans sa quantité de contacts et de cellules impliqués. Pour y arriver, il conserve les cellules et les contacts qui sont stimulés de façon synchrone (c'est-à-dire qui réagissent en même temps à un stimulus précis) et qui donnent la réaction la plus spécifique, et il élimine les autres. Ce processus s'accomplit sur la base de ce qu'on appelle « l'hypothèse de compétition ». Ce sont les circuits les plus performants qui restent en place et les autres sont éliminés.

Juste pour donner une idée de l'ampleur du processus, on estime qu'entre l'âge de 1 et 2 ans, le cerveau de l'enfant a deux fois plus de synapses et d'arborisations que le cerveau adulte. Entre 8 mois et 11 ans, il y a réduction de 40 % du nombre de synapses.

Une fois que les circuits définitifs sont mis en place, commence le processus de myélinisation. La myéline consiste en une couche de lipides qui entoure les prolongements du neurone (axones), comme une gaine. Par comparaison, elle est l'équivalent de la couche de caoutchouc entourant un fil électrique. La myéline permet à la transmission nerveuse de voyager beaucoup plus vite le long des axones et, une fois en place, rend donc les circuits neuronaux beaucoup plus performants.

Cette mise en place de circuits neuronaux performants débute dès la période anténatale pour certaines fonctions, se poursuit ou se développe en postnatal pour les autres. En anténatal, l'enfant est déjà sensibilisé à certains sons, et les réseaux de l'audition ont déjà commencé à se développer. De même, l'enfant a déjà des mouvements volontaires et le contrôle des mouvements par les régions sous corticales est en partie établi. Après la naissance, l'enfant est en contact avec une bien plus grande quantité et une plus grande variété de sons, et son système auditif se perfectionne. De la même façon, après la naissance, l'enfant développe une motricité fine et globale beaucoup plus raffinée, impliquant les régions corticales de la motricité. Il se met donc en place de nouveaux circuits, et certains circuits réflexes sont désamorcés. On peut envisager de la même façon le développement de chacune des fonctions motrices, sensitives, sensorielles et cognitives de l'enfant.

Un autre élément tient une place importante dans le développement cérébral de l'enfant, c'est le facteur temps. Toutes les régions du cerveau n'ont pas une exubérance d'arborisations, de synapses et de récepteurs en même temps. La mise en place d'un réseau fonctionnel se fait selon une chronologie bien spécifique dans chacune des régions du cerveau. Le développement d'un tel réseau fonctionnel se fait d'abord sur le plan du système auditif et par la suite sur le plan du système moteur et du système visuel. Le système langagier se développe ultérieurement et des circuits plus spécifiques, comme l'anticipation, la déduction par exemple se mettent en place beaucoup plus tardivement. C'est ce qui explique que les enfants ne peuvent acquérir certaines fonctions avant un certain âge. On ne peut attendre d'un enfant de 4 ans qu'il ait des capacités de concentration d'un enfant de 10 ans par exemple. C'est pour ces raisons que l'on choisit les stimulations auprès des enfants en fonction de leur âge développemental. Si on stimule trop tôt des régions qui ne sont pas prêtes à développer leur circuit fonctionnel, cette stimulation ne donnera pas les résultats escomptés. Et de la même façon, si l'on ne stimule pas à temps une fonction qui est prête à mettre en place ses circuits, le cerveau va éliminer les arborisations et synapses non utilisées et va passer à côté de la possibilité de développer le circuit le plus fonctionnel possible. La fonction cognitive pourra toujours être développée ultérieurement, mais jamais aussi bien que si les choses s'étaient produites selon un développement normal.

L'épilepsie est une condition pathologique qui reproduit parfaitement la première situation, celle où on stimulerait trop un cerveau. Par définition, l'épilepsie est dépendante d'une activité neuronale hyper synchrone et anormalement intense. Si l'activité épileptique est présente au moment de l'installation d'une fonction cognitive, elle peut entrer en compétition avec les stimuli extérieurs. En fonction de l'intensité de l'activité épileptique et de son moment de survenue, il y aura soit réorganisation anormale d'une « circuiterie cognitive », soit non-développement de celle-ci. Si l'activité épileptique se développe après l'installation d'un circuit cognitif, elle peut nuire à son fonctionnement idéal, mais rarement affecter l'organisation anatomique du circuit. Pour que ceci arrive, il faut que l'activité épileptique soit très intense et très soutenue.

Épilepsie et développement du langage

Le développement du langage est une activité importante sur le plan neurologique, de la naissance jusqu'à la puberté.

Durant la période anténatale, le fœtus entend déjà. De quelques jours à quelques semaines après la naissance, le nouveau-né commence à différencier les sons. En quelques mois, le jeune enfant arrivera à les catégoriser. Au cours de sa première année de vie, il associera des émotions à des vocalisations et commencera à produire un babillage de plus en plus complexe. Il répète chaque jour de plus en plus les sons et structures syllabiques entendus, développant ainsi les bases nécessaires à l'apparition des premiers mots. Vers un an, l'enfant expérimente et utilise déjà ses premiers mots. À cet âge, le versant réceptif (compréhension) se développe plus rapidement que le versant expressif. Vers 2 ans, l'enfant est maintenant en mesure de combiner des mots pour produire des juxtapositions, c'est l'apparition des premières phrases. Dès l'âge de 2 ans 1/2, l'enfant possède déjà les bases du langage oral adulte soit la forme, le contenu, la morphologie, la syntaxe et la pragmatique. Avec la maturation neurologique et l'exposition à diverses situations de communication, il complexifiera ces diverses composantes du langage et ce, tout au long de son enfance.

Les premières années de vie sont un moment crucial pour le développement des habiletés langagières. Durant ce temps, le cerveau change, se développe. La survenue de crises épileptiques chez le nourrisson ou le jeune enfant peut interférer, diminuer ou empêcher le développement des habiletés langagières en émergence à ce moment ou compromettre les habiletés subséquentes. Les problèmes langagiers observés peuvent être temporaires ou persistants. Les principales manifestations sont des difficultés aux plans expressif et réceptif, des troubles d'accès lexical, de mémoire et de parole. L'épilepsie peut nuire à l'émergence de processus de traitement cognitif de haut niveau tels que l'abstraction, le raisonnement et la résolution de problème. Plus l'épilepsie apparaît tôt, plus elle a un impact négatif sur le cerveau et plus le développement des précurseurs cognitifs et langagiers risquent d'être compromis. Cependant, il importe de souligner que le cerveau du jeune enfant a la capacité de se réorganiser, ce qui peut diminuer avec la maturation l'impact des dommages de l'épilepsie.

L'incidence des problèmes de parole et de langage chez l'enfant épileptique n'est pas connue. Les difficultés de langage peuvent survenir dans presque tous les types d'épilepsie mais sont souvent plus importantes chez les jeunes qui présentent une épilepsie impliquant l'hémisphère gauche, et plus spécifiquement la région fronto-temporale.

Par ailleurs certains syndromes épileptiques, tel que le syndrome Landau Kleffner et le syndrome de Rasmussen (s'il implique l'hémisphère dominant), qui apparaissent au cours de l'enfance sont toujours accompagnés de régressions importantes des habiletés langagières. Le syndrome de West et le syndrome de Lennox Gastaut sont, quant à eux, très souvent associés à une déficience intellectuelle et à des troubles sévères de langage.

En conclusion, le jeune présentant une épilepsie au cours de l'enfance risque plus d'éprouver des difficultés sur le plan du langage. Ce développement altéré des fonctions langagières peut avoir des conséquences à long terme, tant sur le plan scolaire que social.

Épilepsie et habiletés visuo-perceptives

En plus de nous permettre de percevoir ce que nous voyons, le système visuel est impliqué dans l'exploration active de l'environnement et dans la localisation dans l'espace des objets qui nous entourent. Le système visuel permet en effet d'identifier un objet, de le suivre s'il est en mouvement ou si l'observateur se déplace, et de le reconnaître. L'énorme complexité de ces tâches explique qu'une grande partie du cerveau soit mise à contribution dans les processus visuels.

La capacité à traiter l'information visuelle est, en partie, déterminée par la manière dont le regard se déplace dans le champ visuel. L'être humain peut bouger les yeux en accomplissant des mouvements horizontaux, verticaux ou obliques. Ces mouvements se font par l'intermédiaire de ce qu'on appelle le *système oculomoteur*, constitué de trois nerfs et de six muscles.

On sait depuis longtemps que ces mouvements ne s'effectuent pas de façon anarchique; les six muscles se contractent en effet de façon coordonnée sous l'influence des influx qui leur sont transmis par les nerfs oculomoteurs. Toutefois, ce système n'est pas complètement développé à la naissance et s'organisera graduellement chez le nourrisson. Une fois mature (entre l'âge de 6 et 12 mois selon les tâches à accomplir), ce système permettra une bonne intégration de l'information visuelle.

Le fonctionnement oculomoteur

Le système oculomoteur permet de repérer une cible puis de la suivre des yeux par un mouvement lent involontaire. Pour ce faire, ce système utilise trois types de stratégies de regard qui seront détaillées plus bas, soit 1) les saccades oculaires, 2) la poursuite visuelle et 3) l'exploration visuelle.

Ces diverses stratégies sont acquises très tôt dans l'enfance, en fonction de l'environnement social et culturel, et elles deviennent rapidement complètement automatisées.

Les stratégies de regard

Saccades oculaires

Une des fonctions du système oculomoteur est d'amener l'image d'un objet détecté en périphérie sur la région centrale de la rétine[1], appelée *fovéa*. Cette saisie d'information s'effectue grâce à une succession de brefs mouvements des yeux. Ce sont les saccades oculaires. Elles peuvent être volontaires ou réflexes (dans le cas d'un objet surgissant brusquement) selon le contexte et les questions que la personne se pose sur l'environnement qu'il explore.

Or, le système oculomoteur du nourrisson est immature et ne peut relier facilement la localisation de la cible à la réponse motrice appropriée. C'est l'expérience visuelle qu'acquiert le bébé qui lui permet d'apprendre quelles sont les commandes motrices les plus adaptées pour permettre cette saisie d'information fovéale. En effet, chez le nouveau-né, la détection d'un

1. La rétine est la partie de l'œil par laquelle nous «voyons», c'est-à-dire là où les rayons de lumière produisent une image. Ce mince tissu rose semblable à un treillis et de l'épaisseur d'une peau d'oignon a une surface qui ne dépasse pas celle d'un timbre-poste. Mais ses fonctions sont absolument renversantes.

Tout comme un film placé à l'arrière d'une caméra, la rétine tapisse le fond de l'œil et enregistre les motifs de lumière et de couleur qui y arrivent. Toutefois, la rétine ne ressemble en rien aux films utilisés dans les caméras. En effet, la rétine transforme la lumière en impulsions électriques par des réactions chimiques se produisant dans ses cellules ultrasensibles. Ces impulsions sont transmises au cerveau où elles sont responsables de notre sens de la vision.

objet placé en périphérie n'est possible que si celui-ci n'est pas trop excentré. Cette capacité à détecter un objet en périphérie augmente avec l'âge et atteint un développement optimal vers l'âge de 1 an.

Les saccades oculaires sont contrôlées par différentes régions du cortex cérébral, notamment les régions frontales, pariétales et temporales.

La poursuite visuelle

La poursuite visuelle implique, comme son nom l'indique, de suivre une cible visuelle mobile. Chez le nouveau-né, cette poursuite visuelle est saccadée plutôt que fluide en raison, une fois encore, de l'immaturité du système oculomoteur. La qualité de la poursuite visuelle s'améliore graduellement au cours des premiers mois de vie. On ne sait pas exactement à quel moment elle devient complètement mature. Ceci ne survient pas avant l'âge de 6 mois et, chez certains enfants, la poursuite est fluide et harmonieuse dans n'importe quelle condition de présentation visuelle uniquement vers l'adolescence.

L'exploration visuelle

Dans l'exploration visuelle, le regard parcourt un espace fixe, déterminé, à la recherche d'un ou plusieurs éléments préalablement choisis comme pertinents.

L'exploration visuelle volontaire est le plus souvent organisée non pas en saccades indépendantes, mais en séquences de saccades. Il en résulte une « trajectoire » du regard qui dépend non seulement de la scène visuelle mais également des intentions du sujet, c'est-à-dire des questions qu'il se pose à propos de l'environnement qu'il explore. Les recherches ont montré que les séquences de saccades visuelles suivent des schémas déterminés lorsque nous observons des objets familiers. Par exemple, pour regarder un visage, le trajet du regard décrit un triangle ayant pour sommets les yeux et la bouche.

Anatomie du système oculomoteur

Trois grandes zones anatomiques sont responsables de la motricité oculaire : 1) les aires frontales, 2) les aires pariéto-occipitales et 3) certaines régions du tronc cérébral. L'intégrité de tous ces centres est indispensable pour une motricité volontaire harmonieuse des globes oculaires, donc pour la saisie fovéale et l'ensemble de l'oculomotricité. La survenue d'une épilepsie en bas âge risque d'affecter le fonctionnement du système oculomoteur, tout particulièrement si l'activité épileptique se situe dans les zones cérébrales impliquées. Il pourrait en résulter des troubles de la motricité oculaire se traduisant par une fixation instable du regard, un déficit du mouvement de poursuite ou un mauvais balayage visuel (c'est-à-dire les stratégies d'exploration et de recherche visuelles sont perturbées voire anarchiques). Bien que de tels troubles neurovisuels soient tout compte fait relativement peu fréquents chez l'enfant souffrant d'épilepsie, ils peuvent nuire à la saisie ou à l'enregistrement d'informations visuelles. Si ces fonctions sont atteintes, la structuration de l'espace et la motricité de l'enfant qui en dépendent seront également anormales.

Conclusion

Ce chapitre nous permet de comprendre, en utilisant le langage et la vision, comment l'épilepsie peut perturber un développement normal. Il faut bien retenir cependant qu'une perturbation du développement normal ne survient pas chez tous les jeunes patients épileptiques. Tel que mentionné, cette situation se retrouve principalement lorsque l'épilepsie est intense et que les crises sont fréquentes.

Il faut savoir aussi que l'épilepsie n'est pas toujours la seule responsable d'un développement anormal. L'étiologie de l'épilepsie (tumeur cérébrale, anoxo-ischémie, malformation etc.), certaines médications, des problèmes psycho-affectifs ne sont que quelques autres causes pouvant expliquer des difficultés de développement.

Quelque soit la cause cependant, il est clair que la surveillance du développement de l'enfant épileptique est aussi importante que la surveillance du contrôle des crises épileptiques et de la tolérance au médicament. Avec l'aide des parents, du milieu scolaire, de la garderie et de tous les professionnels qui s'occupent de l'enfant, le médecin doit s'assurer que l'enfant se développe au mieux de ses capacités. Si ce n'est pas le cas, il doit s'interroger si ce n'est pas l'épilepsie qui cause cette situation. Certains changements peuvent alors être faits sur le plan du traitement. Parfois cependant, ce développement fait partie de l'épilepsie, quel que soit le traitement. Il faut alors orienter l'enfant vers des ressources de réadaptation pour lui permettre de se développer au mieux de ses capacités.

Références

COHEN H. et M.T. LE NORMAND. « Language development in children with simple-partial left-hemisphere epilepsy ». *Brain and Language* 1998 64 : 409-422.

DUBÉ S., M.T. LE NORMAND et H. COHEN. « Acquisition of lexical morphology in simple partial epilepsy ». *Brain and Language* 2001 78 : 109-114.

HERSCHKOWITZ N. « Neurological bases of behavioral development in infancy ». *Brain and Development* 2000 22 : 411-416.

HERTLE R.W. « Supranuclear eye movement disorders, acquired and neurological nystagmus ». In D.TAYLOR et C.S. HOYT (Eds.) *Pediatric Ophtalmology and Strabismus*. 3rd ed. Philadelphia : Elsevier Saunders, 2005.

HERTZ-PANNIER L. « Plasticité au cours de la maturation cérébrale : bases physiologiques et étude par IRM fonctionnelle ». *Journal of Neuroradiology* 1999 26 (Suppl. 1) : 66-74.

GORDON N. « Apoptosis (programmed cell death) and other reasons for elimination of neurons and axons ». *Brain and Development* 1995 17 : 73-77.

JOHNSON M.H. « Cortical plasticity in normal and abnormal cognitive development : evidence and working hypothesis ». *Development and Psychopathology* 1999 11 : 419-437.

LAGERCRANTZ H. et T. RINGSTEDT. « Organization of neuronal circuits in the central nervous system during development ». *Acta Paediatrica* 2001 90 : 707-715.

MAYOR DUBOIS C., D. GIANELLA, V. CHAVES-VISHER, C.A. HAENGGELI, T. DEONNA et E. ROULET PEREZ. « Speech delay due to a preleguistic regression of epileptic origin ». *Neuropediatrics* 2004 35 : 50-53.

SVOBODA W.B. *Childhood Epilepsy: Language Learning and Behavioral Complications.* Cambridge : Cambridge University Press, 2004.

WHELESS J.W, G. PANAGIOTIS et I.J. BUTLER. « Language dysfunction in epileptic conditions ». *Seminars in Pediatric Neurology* 2002 9 (3) : 218-228.

CHAPITRE 10

ÉPILEPSIE ET APPRENTISSAGE

▼

PAR CATHERINE-MARIE VANASSE ET MARYSE LASSONDE

Les enfants atteints d'épilepsie possèdent le plus souvent des capacités intellectuelles comparables à celles de leurs pairs. Il est en effet faux de croire que l'épilepsie s'accompagne toujours de déficit intellectuel. Ce n'est en fait le cas que pour une minorité d'enfants épileptiques. En fait, moins de 15 % d'entre eux obtiennent un niveau intellectuel statistiquement inférieur à la normale au test de quotient intellectuel (QI), tel que défini par la norme de l'Organisation mondiale de la santé. Pour eux, toutefois, une éducation spécialisée peut se révéler nécessaire.

La majorité des enfants épileptiques présentent donc une intelligence normale, bien que le niveau intellectuel moyen des enfants épileptiques soit légèrement inférieur à celui de la population générale. Ainsi le plus souvent, l'enfant avec épilepsie est tout à fait en mesure de suivre une scolarité normale. Malgré cela, l'enfant épileptique est souvent considéré comme un sujet à priori « à risque », pouvant présenter des difficultés d'apprentissage. Les études ont en effet montré qu'un certain nombre d'enfants souffrant d'épilepsie, d'intelligence normale, présentent des difficultés scolaires et réussissent en deçà de ce que l'on pourrait attendre compte tenu de leur niveau intellectuel.

Facteurs influençant l'apprentissage

Les fonctions cognitives interviennent dans chacun des actes et dans chacune des conduites de la vie de tous les jours. C'est la qualité du fonctionnement de ces habiletés qui permet l'harmonie entre l'être et le monde extérieur. L'apprentissage est une activité cognitive complexe qui s'effectue en grande partie en ayant recours aux yeux (perception visuelle) et aux oreilles (perception auditive). Cette information est ensuite « traitée » par différentes parties du cerveau presque simultanément. Compte tenu de la complexité de ce processus qui implique plusieurs aires cérébrales, il n'est pas surprenant que l'apprentissage puisse être plus difficile chez certains enfants épileptiques.

Facteurs liés à l'épilepsie

La modification de l'activité cérébrale engendrée par la survenue d'une crise d'épilepsie peut avoir un impact sur les différentes étapes du processus cognitif (perception, traitement et emmagasinage de l'information) et ainsi nuire à l'apprentissage. Les conséquences de l'épilepsie varient toutefois grandement d'une personne à une autre. En effet, différents facteurs inhérents à l'épilepsie entrent en ligne de compte et doivent être pris en considération, notamment :

- *L'âge de survenue des crises*

  De façon générale, il est reconnu que plus les crises commencent tôt dans l'enfance, plus la probabilité de présenter une atteinte cognitive est grande. En effet, les études révèlent que le niveau intellectuel est généralement plus faible lorsque l'épilepsie a débuté tôt dans la vie (avant 2 ans).

- *La fréquence des crises*

  Les enfants dont l'épilepsie est difficile à contrôler courent plus de risques de présenter des difficultés d'apprentissage puisqu'ils font souvent des crises. Ceci est d'autant plus vrai chez l'enfant qui présente des crises nocturnes perturbant les rythmes d'éveil/sommeil. Il en résulte souvent une fatigue et un manque d'attention qu'il importe de distinguer de la paresse. De plus, il faut savoir que l'activité cognitive elle-même peut, dans certains cas, influencer la fréquence des crises. À l'inverse, la cessation des épisodes de crises annonce un meilleur pronostic.

- *La sévérité de l'épilepsie*

  Les crises prolongées (*status epilepticus*) peuvent entraîner des atteintes cérébrales graves et/ou des problèmes neurologiques permanents incluant un déficit intellectuel qui aura, lui, une incidence manifeste sur les capacités d'apprentissage.

Toutefois, même un enfant souffrant d'une épilepsie qualifiée de « bénigne » et appelée à disparaître à l'âge adulte peut éprouver des difficultés scolaires et en subir les conséquences durant toute sa vie.

- ***Le type d'épilepsie***

Le pronostic varie grandement en fonction du type d'épilepsie (idiopathique, cryptogénique ou symptomatique). L'épilepsie idiopathique ou primaire est celle que l'on rencontre chez un enfant dont le développement et l'examen neurologique sont normaux. Lorsque l'épilepsie survient chez un enfant qui présente une atteinte neurologique, souvent associée à un retard de développement, et que la cause est connue (par exemple, la paralysie cérébrale ou des séquelles d'un traumatisme ou d'une infection cérébrale), on parle d'épilepsie symptomatique. Si la cause de l'atteinte neurologique n'est pas connue, on parle d'une épilepsie cryptogénique.

Pour simplifier les choses et parce que leur évolution est assez semblable, on ne parlera ici que d'épilepsie symptomatique plutôt que d'épilepsie symptomatique et/ou cryptogénique. L'épilepsie symptomatique est généralement associée à un pronostic moins favorable que l'épilepsie idiopathique et ce, tant sur le plan intellectuel que scolaire. Un niveau de fonctionnement intellectuel qui est sous la normale est en effet plus souvent retrouvé chez les enfants souffrant d'épilepsie symptomatique, alors que ceux ayant une épilepsie idiopathique présentent le plus souvent des habiletés intellectuelles normales. La même chose est observée sur le plan du rendement scolaire ; les enfants qui présentent une épilepsie lésionnelle (symptomatique) éprouvent généralement davantage de difficultés scolaires. Soulignons toutefois que le rendement aux tests peut varier beaucoup chez certains enfants ; d'où la prudence à interpréter les résultats obtenus lors d'une seule évaluation.

- ***Le type de crises et la localisation du foyer épileptique***

Certains déficits cognitifs peuvent être associés à des types spécifiques de crises surtout chez les enfants atteints d'épilepsie symptomatique. Ainsi, dans les épilepsies partielles, les difficultés d'apprentissage peuvent être déterminées par le lieu d'origine des crises au niveau cérébral étant donné que chaque lobe cérébral a un rôle spécifique à jouer dans le processus d'apprentissage (voir figure 23).

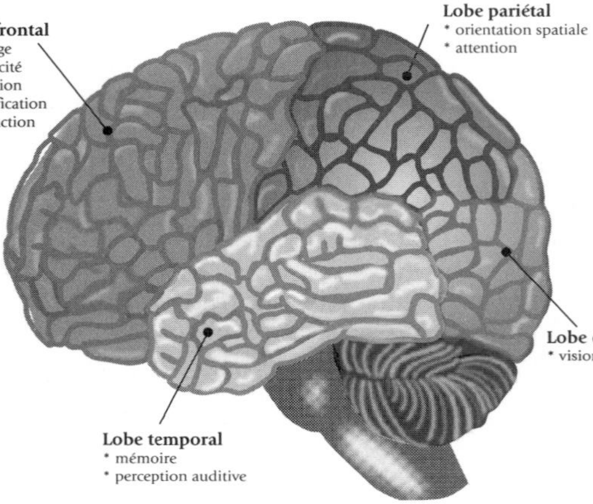

Figure 23
Lobes cérébraux et fonctions cognitives associées.

Les crises généralisées qui impliquent d'emblée tout le cerveau sont quant à elles associées à des déficits cognitifs plus diffus (ex. : ralentissement psychomoteur, difficultés d'attention), mais elles peuvent tout autant nuire à l'apprentissage que les épilepsies affectant une région cérébrale spécifique. Prenons l'exemple des absences qui constituent une forme d'épilepsie généralisée relativement commune, se caractérisant par une perte de conscience de quelques secondes. Il résulte de ces crises une brève perte de contact avec l'environnement qui, dans le cadre scolaire, peut se traduire par une perte d'informations potentiellement cruciales.

Par ailleurs, des études ont montré la présence d'une activité épileptique infraclinique inter-ictale (entre les crises) chez environ 42 % des enfants souffrant d'épilepsie[1]. Ce phénomène, qui consiste en de brèves décharges d'ondes épileptiques, mais sans aucune manifestation clinique, entraîne chez certains

1. Shinnar et al. (1994) : « EEG abnormalities in children with a first unprovoked seizure ». *Epilepsia* 35 : 471-476.

enfants des déficits cognitifs transitoires. L'impact d'un tel phénomène dans les difficultés d'apprentissage demeure cependant à ce jour controversé.

Médicaments antiépileptiques

Il est depuis longtemps établi que certains phénomènes liés à la prise de médicaments (fatigue, ralentissement, agressivité, etc.) peuvent exacerber les difficultés d'apprentissage des enfants souffrant d'épilepsie.

La contribution des médicaments antiépileptiques aux troubles cognitifs demeure néanmoins controversée. Cependant, il est probable que tous les antiépileptiques, surtout s'ils sont utilisés en polypharmacie (plus d'un médicament) et en fortes doses, peuvent influer sur l'attention et la dextérité fine, avec répercussions sur la mémoire et l'apprentissage. Il importe toutefois de spécifier que, question coûts-bénéfices, il est de loin préférable de contrôler l'épilepsie car celle-ci, lorsque non traitée, peut entraîner des difficultés cognitives importantes.

Aspect affectif

En raison de leur caractère imprévisible, les crises risquent de provoquer chez l'enfant une sensation d'impuissance ou de perte de contrôle. Une telle autodépréciation risque de se traduire par un manque de motivation ou d'autonomie et l'insuccès scolaire qui s'ensuit inévitablement ne peut que conforter l'enfant dans son sentiment d'incompétence.

D'autres facteurs psychologiques peuvent entraver l'adaptation – voire l'apprentissage scolaire. Parmi ceux-ci, la surprotection ou encore la sous-stimulation peuvent amener l'enfant à développer une image amoindrie de lui-même et de ses capacités, ce qui risque de se produire si parents et enseignants en attendent trop peu. L'enfant risque alors d'être insuffisamment encouragé à relever des défis et à développer le maximum de ses possibilités. Il importe toutefois de bien reconnaître les difficultés d'un enfant afin de l'aider à développer des stratégies efficaces pour les contourner. Bref, ce n'est pas simple !

Parents et enseignants peuvent également avoir tendance à éviter toutes frustrations s'ils pensent que celles-ci provoquent des crises chez l'enfant. Or, cette attitude est potentiellement nuisible pour l'enfant. Il est en effet plus enrichissant de lui apprendre à faire face aux contraintes inévitables de la vie quotidienne puisqu'il doit vivre, au même titre que ses pairs, les réussites et échecs qui lui permettront de s'épanouir.

L'enfant avec épilepsie peut par ailleurs souffrir du comportement inquiet ou hostile de ceux qui l'entourent, y compris celui des autres enfants : les moqueries, l'isolement social sont en effet souvent une réelle source de détresse psychologique qui peut se traduire par de l'irritabilité ou une tendance à l'isolement.

Absentéisme scolaire

L'enfant vivant avec une condition médicale chronique, comme l'épilepsie ou l'asthme, manque davantage des jours de classe que ses camarades, ne serait-ce qu'en raison de ses visites médicales. Le taux d'absentéisme scolaire est encore plus élevé chez un enfant dont l'épilepsie est mal contrôlée et qui fait fréquemment des crises. Or, un enfant trop souvent absent aura inévitablement du mal à suivre le rythme d'acquisition de la classe.

À cet effet, il est généralement recommandé d'éviter, autant que possible, de garder un enfant à la maison en raison d'une crise ou de le renvoyer chez lui après une crise en classe. Comme la très grande majorité des crises épileptiques sont de courte durée, il serait en effet préférable de lui permettre de se reposer pendant un certain temps, ce qui est moins pénalisant qu'une journée complète d'absence.

Épilepsie et troubles d'apprentissage

Les troubles d'apprentissage résultent de dysfonctions cognitives sur les plans de l'acquisition, de l'organisation (planification, prise de décision, etc.), de la rétention, de la compréhension ou encore sur celui du traitement de l'information (verbale ou visuo-spatiale). De tels dysfonctionnements peuvent affecter l'apprentissage de l'enfant même si celui-ci possède des habiletés intellectuelles normales, essentielles à la pensée ou au raisonnement.

Les conséquences de l'épilepsie sur les processus d'apprentissage sont variables d'un enfant à l'autre. Bon nombre d'enfants vivent avec cette condition médicale sans jamais éprouver de problèmes académiques particuliers, alors que d'autres éprouvent de véritables difficultés d'apprentissage. Chez ces derniers, on retrouve un large éventail de troubles cognitifs, se traduisant par une réelle difficulté à suivre le rythme d'apprentissage de la classe.

Habiletés langagières

Le langage est une compétence propre au cerveau humain, se manifestant par l'utilisation symbolique d'un système arbitraire de signes (la langue) dont la nature est soit sonore (parole) soit écrite (écriture). Il se développe graduellement dès la naissance et ce, pendant plusieurs années. Le langage implique l'ensemble de l'encéphale, mais il s'organise principalement autour de deux régions de l'hémisphère gauche reliées entre elles, l'une permettant l'expression (aire de Broca), l'autre la compréhension (aire de Wernicke).

Langage oral

L'épilepsie chez l'enfant s'associe parfois à des troubles transitoires du langage directement en rapport avec la survenue de manifestations critiques (crises). Dans certains types de crises d'épilepsie en effet, l'enfant ne peut plus s'exprimer ni parfois même comprendre et ce, pendant toute la durée de la crise. Ces difficultés sont cependant le plus souvent transitoires et disparaissent une fois la crise terminée.

Certains enfants souffrant d'épilepsie présentent toutefois des troubles du langage plus prolongés et/ou un retard plus ou moins sévère de langage pouvant parfois requérir une aide orthophonique. Dans le contexte de l'épilepsie partielle d'origine temporale par exemple, les enfants d'âge scolaire peuvent présenter des déficits langagiers discrets, mais gênants, que reflètent en particulier une pauvreté du vocabulaire et/ou des difficultés sur le plan de l'accès lexical.

Langage écrit

La lecture est une tâche complexe qui demande un bon fonctionnement du système visuel d'une part et du système linguistique d'autre part. En effet, le système visuel doit en premier lieu identifier les caractères écrits et les localiser les uns par rapport aux autres, puis les communiquer au système linguistique qui les décodera (accéder au sens des mots, à leur prononciation, etc.).

Les troubles du langage écrit chez l'enfant atteint d'épilepsie ont fait l'objet d'un certain nombre d'études. Les conclusions révèlent que près de 20 % des enfants souffrant d'épilepsie présentent un retard significatif dans l'apprentissage de la lecture (dyslexie). De telles difficultés seraient plus fréquentes chez les enfants avec épilepsie d'origine temporale ou frontale que chez les enfants avec épilepsie généralisée, en particulier dans le cas d'un foyer épileptique situé dans l'hémisphère gauche (hémisphère langagier).

La fréquence des crises épileptiques a un effet négatif sur la performance en lecture et ce, quel que soit le quotient intellectuel de l'enfant souffrant d'épilepsie.

L'attention

L'attention est une des portes d'entrée principales de l'apprentissage. En effet, un enfant ne portant pas attention ne pourra pas recevoir, traiter et analyser, comprendre et mémoriser l'information.

Des difficultés attentionnelles sont fréquemment rapportées chez l'enfant souffrant d'épilepsie. En effet, les études révèlent que l'enfant avec épilepsie présente souvent des capacités d'attention limitées et fluctuantes, qu'il ne faut cependant pas confondre avec le trouble déficitaire de l'attention, avec ou sans hyperactivité (TDA/H), dont il sera question plus loin. Il s'agit chez ces enfants plutôt d'une immaturité et d'une fatigabilité cognitive à l'effort intellectuel, qu'il est souvent possible de contourner en permettant à l'enfant de se reposer (comme accorder de fréquentes courtes pauses).

Il importe par ailleurs de distinguer la diminution de la vigilance en rapport direct avec la survenue de crises d'épilepsie (troubles de la conscience, fatigue faisant suite à une crise) de l'existence de troubles attentionnels inter-critiques (entre les crises) persistants. Ces derniers sont présents chez une grande proportion d'enfants souffrant d'épilepsie.

Les fonctions exécutives et l'autorégulation mentale

Les fonctions exécutives permettent normalement d'initier des actions dirigées vers un but, de moduler les actions à partir d'une intention ou d'une consigne (demande extérieure), de résister à la distraction afin de se rendre au but et de réaliser l'action désirée. Ces fonctions permettent également de vérifier si l'action ou le résultat de celle-ci correspond à l'intention ou à la demande de départ, et finalement, de se corriger dans le cas contraire. Ces fonctions sont sous-tendues par les lobes frontaux, qui se développent graduellement jusqu'à l'adolescence; ce contrôle devient donc de plus en plus efficace et sophistiqué avec l'âge.

L'épilepsie d'origine frontale s'accompagne fréquemment de lacunes sur le plan exécutif, se traduisant le plus souvent par un manque d'organisation et de planification, mais également par des difficultés de contrôle de l'impulsivité (cognitive et comportementale) et des problèmes de la mémoire de travail (capacité de manipuler de l'information retenue pendant une brève période de temps).

La mémoire

La mémoire est définie comme la capacité que possèdent les organismes vivants d'acquérir, de retenir et d'utiliser un ensemble de connaissances ou d'informations. On reconnaît qu'il existe plusieurs formes de mémoires (mémoire de travail, mémoire à court terme, mémoire à long terme, etc.) se complétant et interagissant, et que plusieurs processus y sont impliqués (encodage, maintien, consolidation, rappel de l'information, etc.). Il s'agit donc d'un processus cognitif complexe.

Les troubles de mémoire ont été étudiés de façon extensive chez l'adulte épileptique mais demeurent sans doute encore sous-estimés dans les épilepsies de l'enfant. Ceux-ci peuvent se rencontrer dans les différents types d'épilepsie, mais les difficultés de mémoire à long terme sont particulièrement fréquents dans le contexte de l'épilepsie partielle d'origine temporale, le lobe temporal constituant la principale aire cérébrale sous-tendant la mémoire. De plus, chez l'enfant comme chez l'adulte souffrant d'épilepsie temporale, les déficits mnésiques observés varient en fonction du lobe temporal impliqué (gauche ou droit). Ainsi, dans la plupart des cas, les enfants avec épilepsie temporale gauche ont une moins bonne mémoire verbale tandis que les enfants avec épilepsie temporale droite obtiennent de moins bonnes performances en mémoire visuelle.

La dextérité manuelle et la vitesse d'exécution

Certains enfants souffrant d'épilepsie présentent un manque de dextérité manuelle, une maladresse gestuelle, des problèmes d'équilibre et de coordination liés à la pathologie épileptique et/ou à son traitement pharmacologique. De telles lacunes entraînent parfois, chez ces enfants, des problèmes de graphisme, qu'il s'agisse d'une écriture maladroite ou illisible ou encore d'une fatigabilité lors de l'écriture.

On retrouve également une lenteur d'exécution chez bon nombre d'enfants avec épilepsie, qu'exacerbe souvent la prise d'une médication antiépileptique. Une telle lenteur ne constitue pas en soi un déficit cognitif, mais elle contribue à un rendement plus faible, notamment aux tâches chronométrées, comme on en retrouve dans les tests d'intelligence.

L'épilepsie et le déficit de l'attention avec ou sans hyperactivité (TDA/H)

Le déficit de l'attention avec ou sans hyperactivité (TDA/H) est le trouble du comportement le plus souvent diagnostiqué chez l'enfant. Il touche entre 3 et 10 % des enfants d'âge scolaire en Amérique du Nord et atteint trois fois plus de garçons que de filles[2]. Le diagnostic est souvent établi en référence aux critères du DSM-IV, l'ouvrage de classification des maladies psychiatriques, bien que l'étiologie du TDA/H soit incontestablement de nature neurologique. Trois composantes constituent ce syndrome :

2. BARKLEY, R.A. (1997). « Behavioral inhibition, sustained attention and executive functions : constructing a unifying theory of ADHD ». *Psychological Bulletin* 121 :65-94.

1) l'inattention;
2) l'hyperactivité;
3) l'impulsivité, dont le degré de sévérité peut être très variable d'un sujet à l'autre.

Alors que ces trois composantes sont identifiables chez un certain nombre d'enfants présentant un TDA/H, d'autres n'en présentent qu'une ou deux des trois.

Les conséquences d'un tel trouble sur l'apprentissage scolaire sont aujourd'hui bien connues; ces enfants ont en effet de grandes difficultés à soutenir leur attention, particulièrement lorsque la tâche devient ennuyeuse ou monotone; ils ont tendance à bouger ou à parler continuellement et se montrent le plus souvent incapables d'attendre leur tour. Une telle attitude peut, dans le cadre scolaire, se traduire par une perte d'informations potentiellement cruciales pour l'intégration de nouvelles connaissances.

Le TDA/H est un trouble fréquemment retrouvé chez l'enfant souffrant d'épilepsie. Des études récentes suggèrent que de 20 à 40 % des enfants épileptiques présentent aussi un TDAH. Ce déficit d'attention n'est pas dû à des crises répétées ou à la médication puisqu'on le retrouve chez les enfants épileptiques au moment du diagnostic, avant le début du traitement. Il serait plus fréquent dans le contexte de l'épilepsie généralisée idiopathique que dans l'épilepsie partielle et serait plus important chez les enfants dont le rendement intellectuel est plus faible[3]. Certains médicaments antiépileptiques pourraient accentuer le TDA/H, notamment le phénobarbital, le gabapentin et le topiramate. D'autres médicaments tels la carbamazépine et le lamotrigine pourraient avoir un effet bénéfique sur le TDA/H.

Les psychostimulants représentent le traitement le plus efficace pour le TDA/H. Théoriquement, ce type de médicaments peut accentuer la tendance à faire des crises d'épilepsie. Cependant, il est rare que l'on observe une détérioration de l'épilepsie chez les enfants épileptiques chez qui on juge que le TDAH doit être traité, et la majorité des auteurs s'entendent pour

3. Jambaqué, I. et Bulteau, C. (2001). « Le dossier : Épilepsie et épileptiques ». *Réadaptation* 457 : 43-46.

dire qu'il n'y a pas de contre-indications à prescrire une médication psychostimulante chez des patients épileptiques.

L'épilepsie et la déficience intellectuelle

La déficience intellectuelle se définit comme « une difficulté fondamentale d'apprentissage et de réalisation de certaines tâches quotidiennes. Elle se manifeste avant l'âge de 18 ans et se traduit par un fonctionnement intellectuel significativement inférieur à la moyenne (Q.I. de 70-75 et moins) accompagné de difficultés importantes d'adaptation. Ces difficultés se manifestent dans au moins deux domaines du fonctionnement adaptatif (communication, soins personnels, compétences domestiques, habiletés sociales, autonomie, santé et sécurité, aptitudes scolaires fonctionnelles, loisirs et travail) et doivent être observées dans l'environnement naturel d'un enfant, en tenant compte de son âge chronologique[4]. »

On retrouve différents degrés de déficience intellectuelle, allant de la déficience légère à la déficience profonde, caractérisés par des déficits plus ou moins marqués au niveau des processus supérieurs de la pensée (abstraction, analyse, jugement, idéation, réflexion, rapports de cause à effet, etc.). Le tableau 1 résume les principales caractéristiques. On estime que l'épilepsie s'accompagne de déficience intellectuelle chez 15 % des enfants.

Il est inévitable qu'une déficience intellectuelle affecte l'apprentissage et le rendement scolaire et ce, selon la sévérité de l'atteinte. Toutefois, contrairement à ce qui est trop souvent véhiculé, l'enfant qui présente une déficience intellectuelle légère, bien qu'apprenant plus lentement que les autres, pourra continuer à apprendre et à se développer tout au long de sa vie. En effet, les plateaux de saturation d'apprentissage ne sont pas les mêmes qu'avec la population dite d'intelligence normale; l'apprentissage se fait souvent sur une période plus longue, possiblement entrecoupée de plateaux. De plus, ces enfants se montrent généralement très motivés à réaliser des tâches conformes à leurs âges chronologiques quand ils en possèdent les capacités.

4. Définition tirée du site de l'Association de Montréal pour la déficience intellectuelle (www.amdi.info).

TABLEAU 1

Tableau synthèse des définitions de la déficience intellectuelle du ministère de l'Éducation du Québec[5]

Légère	Moyenne à sévère	Profonde
• Limitations surtout sur le plan cognitif. • Besoin d'un mode de raisonnement concret.	• Limitations sur le plan du développement cognitif restreignant les capacités d'apprentissage.	• Limitations importantes du développement cognitif.
• Accroissement graduel du retard dans les apprentissages scolaires à mesure que le degré d'abstraction et de symbolisation augmente.	• Difficultés plus ou moins marquées dans le développement sensoriel et moteur et dans celui de la communication.	• Capacités limitées sur le plan de la perception, de la motricité et de la communication.

Conclusion

Les crises d'épilepsie n'ont généralement pas d'incidence irréversible sur l'intelligence ou les capacités de développement de l'enfant. Qui plus est, chez bon nombre d'enfants, l'épilepsie n'entraîne aucune difficulté particulière. La majorité des enfants atteints d'épilepsie peuvent donc suivre une scolarité normale, dans la mesure où l'on tient compte de leur sentiment d'inquiétude et de leurs contraintes quotidiennes découlant de cette condition médicale chronique. Une attention particulière doit de plus être portée à l'estime de soi et à l'adaptation psychosociale

5. Tiré du site du Service régional de soutien en déficience intellectuelle (www.rtsq.grics.qc.ca).

de ces enfants. En effet, même si 75 à 80 % des enfants souffrant d'épilepsie voient leurs crises disparaître à l'adolescence ou à l'âge adulte à la suite d'un traitement antiépileptique, les conséquences psychologiques de l'épilepsie sont bien réelles et doivent être adressées.

Les études faites chez les enfants souffrant d'épilepsie nous permettent d'estimer que de 15 à 50 % d'entre eux éprouveront des difficultés d'apprentissage à l'école. Il est essentiel que ces enfants soient dépistés très tôt et soumis à des évaluations régulières faites par des professionnels. Un examen neuropsychologique peut notamment s'avérer utile pour évaluer la qualité de fonctionnement des habiletés cognitives sous-tendant les processus d'apprentissage, ce qui apparaît d'autant plus important que les causes et les conséquences des crises d'épilepsie varient grandement d'un enfant à un autre. Lorsque nécessaire, ces enfants pourront bénéficier d'un accompagnement pédagogique personnalisé adapté aux déficits spécifiques identifiés et d'une aide rééducative visant le développement de stratégies compensatoires efficaces.

Finalement, dans certains cas l'épilepsie s'accompagne malheureusement d'un déficit intellectuel plus ou moins sévère. Une prise en charge plus médicalisée peut alors s'avérer nécessaire et une orientation en établissement spécialisé envisagée, en accord avec la famille.

Références

GUCUYENER K, A.K. ERDEMOGLU, S. SENOL, A. SERDAROGLU, S. SOYSAL et A.L. KOCKAR. « Use of methylphenidate for attention-deficit hyperactivity disorder in patients with epilepsy or electroencephalographic abnormalities » *Journal of Child Neurology* 2003 18 : 109-112.

HESDORFFER D.C., P. LUDVIGSSON, E. OLAFSSON, G. GUDMUNDSSON, O. KJARTANNSSO et W.A. HAUSER. « ADHD as a risk factor for incident unprovoked seizures and epilepsy in children ». *Archives of General Psychiatry* 2004 61 (7) : 731-736.

JAMABQUÉ I., M. LASSONDE et O. DULAC (Eds). « Neurosychology of childhood epilepsy ». *Advances in Behavioral Biology* 2001 (50).

SCHUBERT R. « Attention deficit disorder and epilepsy ». *Pediatric Neurology* 2005 32:1-10.

TAN M. et R. APPLETON. « Attention deficit and hyperactivity disorder, methylphenidate and epilepsy ». *Archives of Disease in Childhood* 2005 90 : 57-59.

CHAPITRE 11

LES ASPECTS PSYCHOLOGIQUES

PAR PIERRE PELLETIER ET LINE DESCHAMPS

L'impact pour le patient

Intervenir en psychologie auprès du jeune patient épileptique, cela signifie au départ la nécessité de procéder à une évaluation diagnostique souvent complexe. Car l'épilepsie étant une maladie d'ordre neurologique, elle réfère à ce lieu du corps où se côtoient les dimensions neurobiologique, neurocognitive et psychique (psychologique).

Quand le neurologue adresse une requête au psychologue, par exemple pour problèmes de comportement, anxiété, affects dépressifs, etc., le psychologue prendra soin de déterminer la part des composantes neurologiques (donc physiologiques), médicales (effets de la médication), neurocognitives, affectives et psychosociales dans la problématique, ce qui est loin d'être toujours évident. Ainsi, des signes de dépression ou d'anxiété peuvent être reliés soit à des difficultés d'adaptation à la maladie, à une réaction souvent temporaire liée à l'ajustement de la médication ou encore être la conséquence directe d'une atteinte particulière du système nerveux central, ou une combinaison de ces facteurs. Il s'agit donc d'établir un diagnostic différentiel (identifier ce qui relève de ceci ou de cela), ce qui incite le psychologue à travailler en étroite collaboration avec les membres de l'équipe interdisciplinaire, dont le travailleur social, le neuropsychologue, le médecin-psychiatre et le neurologue.

La façon dont le jeune épileptique va s'adapter à sa condition médicale dépendra de plusieurs facteurs: l'âge où se produisent les premières crises, leur sévérité et leur fréquence, le contrôle ou non des crises, le type d'atteinte (idiopathique, lésionnelle, partielle ou généralisée), le profil cognitif et les ressources personnelles du jeune, le soutien apporté par la famille et l'environnement (garderie, école, communauté, etc.).

La famille et les milieux de vie du jeune sont appelés à jouer un rôle prépondérant dans l'adaptation de l'enfant épileptique et ce, quel que soit le type d'atteinte. D'une part, une famille qui a une perception réaliste de la condition de l'enfant, « reconnaît » ses limites, le soutient dans son cheminement et accepte, lorsque nécessaire, d'avoir recours aux ressources de l'environnement ; d'autre part, un milieu de vie (garderie, école, organismes de loisirs, de sports, etc.) qui sait faire preuve d'ouverture et de flexibilité, qui favorise l'estime de soi et stimule l'enfant à poursuivre ses efforts : voilà deux conditions qui contribuent grandement au processus d'adaptation et à la qualité de vie de ces enfants.

L'entrée dans la vie scolaire est une étape déterminante. Pour plusieurs, cela veut dire se retrouver pour la première fois en dehors du milieu « protégé » de la famille. Fréquenter l'école, cela peut signifier : faire des crises devant les autres, être obligé de renoncer à certaines activités ou encore prendre des mesures de protection pour participer à des activités comme l'éducation physique, les sorties, etc. C'est donc prendre conscience d'une certaine différence.

Il importe de bien comprendre à quoi fait face le jeune qui fait des crises d'épilepsie à l'école. D'une part, cela génère crainte et anxiété : « Est-ce que les autres sauront quoi faire ? » D'autre part, surgit toute une gamme de questionnements et d'émotions : « Ils vont me trouver bizarre, ils vont avoir peur de moi, ils vont rire de moi. » Essayons de nous mettre à la place de ces enfants et d'imaginer comment nous pourrions nous sentir quand, sortant d'une crise où il y a eu perte de conscience, donc ne sachant pas ce qui vient de nous arriver et ce qu'on a pu faire, on voit sur soi le regard des autres. Cela est d'autant plus difficile quand les crises s'accompagnent de perte de contrôle sphinctérien, de contractions musculaires, de confusion... C'est afin de se protéger de la gêne et de la honte qui accompagnent ces manifestations que certains jeunes, souvent les ados, vivront un réel conflit face à la vie scolaire, refusant d'aller en classe dans les périodes où les crises ne sont pas contrôlées.

La vie scolaire, c'est aussi pour d'autres enfants épileptiques se voir confrontés à leurs « limites » dans la sphère des apprentissages. Cela peut survenir à n'importe quel moment. Certains présenteront des difficultés dès l'entrée au primaire, pour d'autres la confrontation se fera durant le secondaire. Les parents et l'équipe scolaire doivent alors se montrer particulièrement attentifs à cette dimension de l'intégration du jeune et être prêts à procéder à des adaptations. Certains jeunes auront besoin de soutien pédagogique, d'autres qu'on réduise le nombre de cours ou la quantité des devoirs à la maison (pour des raisons de fatigabilité inhérente à la condition médicale), d'autres devront être orientés vers des classes spécialisées. Maintenir un enfant dans un contexte scolaire qui ne répond pas à ses besoins ou dépasse ses capacités risque d'avoir un effet néfaste sur son développement et son estime de soi. Ce sont des situations que nous rencontrons malheureusement trop souvent à notre clinique.

En général, la question de savoir s'il faut aborder l'épilepsie avec les pairs de l'école ne pose pas de problèmes au niveau du primaire, surtout chez les petits qui, une fois l'information donnée, sauront se montrer attentifs aux besoins de l'enfant épileptique quand cela sera nécessaire (ils iront par exemple avertir le gardien de récréation si l'enfant fait une crise). De savoir que son milieu de vie est informé, que les intervenants savent comment agir en contexte de crise, que les ententes sont bien claires entre l'école et la famille, contribue à renforcer le sentiment de sécurité de l'enfant face à l'école.

Les enjeux sont par contre bien différents à mesure que le jeune avance en âge. L'entrée au secondaire est souvent vécue comme un moment difficile pour le jeune épileptique d'autant plus que cette étape correspond aux changements biologiques qui annoncent l'adolescence.

Si l'adolescence est une étape déstabilisante pour un grand nombre de jeunes en général (et pour les parents aussi !), elle implique de sérieux défis pour celui ou celle qui est atteint d'épilepsie. La conquête de l'autonomie, la recherche et la consolidation d'une identité propre et cohérente, le développement d'un réseau d'amis, les questionnements et les premières explorations face à la vie intime et la sexualité, les premières projections vers l'avenir (permis de conduire, études, travail, vie amoureuse, etc.), tels sont les principaux enjeux de l'adolescence.

C'est souvent à l'adolescence que vont se manifester (ou s'accentuer) chez le jeune épileptique les problèmes suivants : baisse d'estime de soi, symptômes dépressifs, anxiété, irritabilité, agressivité, passage à l'acte (faire des mauvais coups).

La quête d'autonomie revêt un caractère très particulier chez l'adolescent épileptique. D'une part, comme les autres de son âge, il revendique son indépendance, veut faire « ses petites révolutions », ses expérimentations, mais d'autre part, à cause de sa condition épileptique, il se sent très dépendant de sa famille et de son environnement.

Ainsi, il lui est difficile de faire des sorties ou de pratiquer certaines activités sportives sans être accompagné. Les frustrations vont se manifester sous forme d'affects dépressifs, d'irritabilité. L'agressivité est fréquemment dirigée, sans raison apparente bien souvent, sur les proches (la famille ne comprend pas pourquoi, et le jeune non plus). Elle peut se manifester également sous forme d'agissements ou de provocations, à l'école ou dans la communauté.

Pour mieux comprendre les conflits d'autonomie auxquels ces jeunes font face, prenons l'exemple d'une adolescente de 15 ans, que nous appellerons Mélanie, et dont les crises sont réapparues depuis un certain temps. Mélanie déploie beaucoup d'énergie pour réussir sur le plan scolaire et social. Elle participe depuis plusieurs années à des activités artistiques, avec succès. En raison d'une certaine instabilité affective, dont l'étiologie relève en partie du type de lésion dont elle est atteinte, elle a de la difficulté à maintenir des relations amicales. En cours d'année, elle se lie d'amitié avec une fille de l'école qui semble empathique à sa condition et qui l'invite à faire un voyage d'été chez son père, qui habite à l'étranger. Cela suscitera un grand bouleversement chez Mélanie. Elle éprouve une envie très forte de partager cette expérience unique avec son amie, mais d'autre part elle est assaillie de craintes : « Si je fais une crise… est-ce que je vais être en mesure de toujours contrôler mes émotions, et si mon amie se lasse et décide de me lâcher durant le voyage ? ».

L'autonomie est un processus difficile, car les craintes exprimées par ces jeunes sont en même temps bien réelles.

L'adolescent souffrant d'épilepsie se montre en général plus réticent que le jeune enfant à dévoiler sa condition épileptique aux pairs, et souvent avec raison. Il lui est arrivé antérieurement d'être victime de railleries ou de méchancetés, et il veut se protéger. Il ne veut pas montrer qu'il est différent. Il craint d'être rejeté à cause de son épilepsie.

C'est à l'adolescence que certains jeunes vont se révolter contre la médication, cherchant à espacer les doses ou même à carrément cesser de prendre leurs médicaments. Ces jeunes ont besoin de vérifier s'ils peuvent vivre une vie normale, sans la médication : c'est là aussi une tentative de gagner de l'autonomie.

La réussite scolaire est une dimension importante pour la consolidation de l'estime de soi et la capacité de se projeter dans l'avenir. Cela va exiger de grands efforts pour les jeunes et leurs parents. Les crises, le stress, la fatigabilité, les difficultés d'apprentissage constituent autant de facteurs qui risquent d'avoir un impact sur le déroulement de la vie scolaire. Il est souvent nécessaire en cours de route de s'arrêter pour réévaluer les objectifs et les stratégies et, dans certains cas, de s'orienter vers d'autres cheminements. Il importe, et le plus tôt possible, de développer des objectifs réalistes, qui correspondent aux capacités du jeune, objectifs qui doivent tenir compte de l'avenir, c'est-à-dire de l'entrée dans la vie adulte. Malheureusement, l'expérience nous démontre que c'est souvent vers la fin de l'adolescence que se pose la question de l'intégration à la vie adulte, alors qu'on devrait commencer beaucoup plus tôt, en mettant l'emphase sur les forces de ces jeunes plutôt que de les maintenir dans des programmes qui ne correspondent pas à leur profil et qui ne vont déboucher sur rien de concret dans le futur.

Il importe pour nous, intervenants et éducateurs, d'élargir notre inventaire lorsqu'on évalue ces jeunes, c'est-à-dire de regarder au-delà des habiletés qui sont valorisées actuellement dans le système scolaire et qui correspondent le plus souvent aux matières de base. Ainsi, il arrive fréquemment qu'on observe chez des jeunes de bonnes capacités créatives (dessins, habiletés manuelles) ou encore des habiletés sociales particulières, qui n'ont malheureusement pas été développées durant le cheminement scolaire alors qu'on a maintenu l'emphase sur les matières où ils éprouvent de grandes difficultés (troubles d'apprentissage). On oblige certains jeunes à reprendre les mêmes matières année après année, alors qu'on aurait dû tenir compte de leurs limites et favoriser le développement des habiletés qui correspondent à leurs forces.

Interventions et thérapie

Il y a plusieurs façons de venir en aide aux jeunes atteints d'épilepsie. La première étape, c'est de procéder à une évaluation précise des besoins et de déterminer nos objectifs selon ceux-ci. Évaluer les besoins, cela peut signifier que le psychologue entreprendra un suivi auprès de l'enfant, mais cela peut impliquer une orientation vers d'autres types de services, ou encore une intervention en collaboration avec d'autres intervenants. À cet égard, il nous arrive de faire appel au service d'éducateurs spécialisés qui pourront intervenir directement dans les milieux de vie du jeune ou encore de l'orienter vers la pédopsychiatrie quand la problématique s'accompagne de comorbidités qui relèvent de ce champ d'expertise (la présence d'un trouble envahissant de développement, par exemple) ou vers des ressources spécialisées (violence, troubles de comportement sévères).

Mentionnons au départ que l'information sur la maladie constitue une étape *sine qua non* dans le processus d'adaptation et ce, peu importe l'âge de l'enfant. Cette information se transmet verbalement lors de rencontres en famille et par des documents que l'on remet aux parents, au jeune et à l'école. Selon les besoins, cette rencontre se fera en collaboration avec la travailleuse sociale, le médecin ou d'autres membres de l'équipe interdisciplinaire. Notre expérience tend à démontrer l'impact positif de ce type de rencontres en présence de l'ensemble de la famille et ce, dès que nous disposons de suffisamment d'information. Ainsi, lors de ces séances, la fratrie aura l'opportunité d'exprimer ses questionnements et ses craintes. Des frères et sœurs vont nous demander par exemple si l'épilepsie s'attrape, ce qu'il faut faire quand une crise survient, s'il y a danger que l'enfant atteint puisse décéder durant une crise. Ce sont des questions fondamentales et les réponses auront un effet rassurant pour toute la famille.

Ces rencontres nous permettent également de faire un retour sur les premières crises, qui ont pu être traumatiques pour l'enfant et la famille, et de procéder alors à une dédramatisation de la situation. Prenons l'exemple d'une jeune adolescente de 12 ans qui a fait sa première crise durant la nuit. Elle dormait seule au sous-sol, les parents au deuxième étage. On a retrouvé la jeune fille quelques heures après la crise assez mal en point. Ce fut une expérience traumatisante pour l'enfant et les parents. Cela a conduit entre autres à une attitude de grande vigilance chez les parents et des difficultés d'endormissement chez la jeune fille. L'intervention en présence des parents et de la jeune nous a permis d'examiner ensemble les mécanismes de protection qui ont été instaurés depuis cette crise, de voir la situation sous un angle différent et, par conséquent, de rassurer tout le monde.

Au-delà de toutes les problématiques que nous pouvons rencontrer, l'estime de soi est sans aucun doute la dimension la plus significative pour la consolidation d'une bonne identité et d'une bonne qualité de vie. Comme nous l'avons mentionné au départ, l'épilepsie se développe dans un lieu du corps où se chevauchent les fonctions neurobiologiques, cognitives et psychiques (psychologiques). Ce qui fait qu'il n'est pas facile, face à une difficulté donnée, d'en saisir vraiment l'origine. Prenons l'exemple d'un enfant épileptique qui présente des difficultés d'attention avec impulsivité. Il sera, ainsi que ses proches, confrontés à cette ambiguïté : « Qu'est-ce qui vient de moi (psychologique), qu'est-ce qui relève de ma condition neurologique ? » Cela a un impact considérable sur l'estime de soi de l'enfant. Car, plus souvent qu'autrement, il s'attribuera la cause de ces difficultés : « Je ne suis pas bon, j'aime pas étudier... » Donc une première étape essentielle de l'intervention auprès du jeune consiste à tenter de faire la part des choses, c'est-à-dire à distinguer ce qui relève de la maladie, ou ce qui devient plus difficile à cause de la maladie, de ce qui fait partie de l'attitude du jeune, de sa motivation ; découvrir quelles sont les dimensions de sa vie sur lesquelles il a un contrôle.

L'estime de soi est le moteur de la vie psychique. Sans une bonne estime de soi, on avance peu ou très mal. L'estime de soi ne se construit pas seulement à partir de mots et d'encouragements, mais à partir de réalisations concrètes qui vont définir « nos lieux de compétence », face à nous-mêmes et face aux autres. Si l'intervention sur le plan de l'estime de soi débute dans le bureau du psychologue ou d'un autre intervenant – c'est habituellement l'étape qui permet d'identifier le problème et d'apporter un premier soutien –, c'est à notre avis dans les milieux de vie des jeunes qu'elle doit se consolider. Ces milieux devraient être en mesure d'identifier les compétences particulières de chacun et de les guider vers la réalisation de projets qui leur permettront de prendre conscience de leur valeur.

Pour mieux comprendre l'impact de la vie scolaire sur l'estime de soi, voici le cas d'une jeune fille de 17 ans, Louise, qui nous est référée pour anxiété et dépression.

Louise a été intégrée en début d'année scolaire dans un programme d'insertion professionnelle. Quelques mois après son premier stage comme aide-cuisinière dans un restaurant, qu'elle a elle-même choisi en fonction de ses intérêts, on l'avise qu'elle ne pourra pas continuer sa formation. Son superviseur lui donne comme raisons ses crises épileptiques sous forme d'absences, un manque de force dans les mains qui représente un danger potentiel et une certaine impulsivité dans sa façon de s'exprimer. On l'informe également que, pour les raisons évoquées, elle ne pourra pas accéder à son second choix professionnel, celui d'aide dans une garderie. Louise est très déçue et très inquiète pour l'avenir. Quelques échanges avec cette jeune fille nous font réaliser plusieurs aspects de sa personnalité : elle est extrêmement motivée à développer des habiletés de travail ; elle a de belles habiletés sociales ; elle adore les enfants et se montre très patiente avec eux. Mais, surtout, nous observons que Louise manque énormément de confiance en elle-même, que cela augmente ses maladresses et que ce premier échec vient d'ébranler une estime de soi déjà fragile.

Par la suite, nous découvrons qu'elle a des habiletés pour le dessin, qu'elle a un très bon contact avec les animaux. Au fur et à mesure que nous mettons en valeur ses forces, ajoutant quelques conseils pour améliorer le contrôle d'une certaine impulsivité sur le plan relationnel, nous voyons surgir une toute autre jeune fille, souriante, soucieuse de son apparence et déjà plus sûre d'elle-même. À partir de ce constat, nous avons suggéré aux parents des ressources qui permettraient une évaluation plus approfondie de son potentiel et favoriser le développement de ses habiletés ; et cela afin que Louise puisse avoir accès à des stages et, possiblement, à un travail qui corresponde à ses forces et compétences. C'est une condition essentielle pour une bonne qualité de vie.

L'impact pour la famille

Quelque soit l'origine de l'épilepsie, sa cause probable, la période de la vie où elle apparaît, le type d'épilepsie et la façon dont elle affecte les enfants, les parents, la fratrie voire la famille élargie en souffrent.

La souffrance morale et les déséquilibres personnels, relationnels et financiers pourront être proportionnels au niveau des difficultés que présente l'enfant épileptique et aux besoins qui y sont associés.

Les aspects psychologiques

Alors que la confirmation du diagnostic de l'épilepsie et d'un pronostic favorable peut soulager et rassurer certains parents, elle aura pour effet d'en ébranler d'autres. Subitement, tout se bouscule et bascule dans la tête de ces derniers. Renoncer à l'état de santé parfaite que l'on anticipait pour son enfant est difficilement acceptable. Les parents craignent que son développement soit freiné, que ses capacités d'apprentissage soient limitées, et ils se demandent s'il pourra vivre une vie normale et active.

Sous le choc, ils peuvent éprouver de la déception, de la colère, de la tristesse, du désarroi, de la culpabilité, de la honte et parfois du ressentiment face à cet enfant qui n'est plus l'enfant idéalisé. Certains peuvent manifester du détachement ou une indifférence apparente. Ils pourront même devenir inaccessibles ou non réceptifs à l'entourage, car ils réalisent qu'il leur sera impossible de se soustraire aux conséquences et aux exigences de la prise en charge immédiate de l'enfant : désormais, l'enfant épileptique exigera d'eux un peu plus voire beaucoup plus que les autres enfants.

Passé l'état de choc, un processus de deuil concernant la santé de leur enfant suit habituellement. Selon les auteurs intéressés par cette question, ce processus comporte des étapes précises : la dénégation, le désespoir, l'adaptation, l'acceptation et la réorganisation. Il est essentiel de respecter le rythme avec lequel chaque parent vivra ce deuil. Plusieurs facteurs favoriseront ou ralentiront ce processus, qui sont inhérents à leur personnalité, à leurs valeurs, à leurs croyances, à leur culture, à leur croissance personnelle, à leur capacité de s'adapter aux tensions, à leurs mécanismes de défense, etc. Le respect et la tolérance à l'égard du vécu de l'autre parent favoriseront le soutien mutuel, le maintien ou le développement de liens harmonieux et durables qui serviront de modèles aux autres enfants, comme à l'enfant épileptique.

Les aspects éducatifs et relationnels de l'enfant épileptique et les autres enfants

S'il est naturel et normal, tant au sein de la famille que dans le réseau social et communautaire, d'aider et de protéger un enfant qui accuse des déficits et des limitations, ce serait par contre rendre un bien mauvais service à cet enfant que de le surprotéger. Par exemple, parce qu'ils craignent que l'enfant échoue ou se blesse dans des activités qu'il désire entreprendre, les parents ont souvent tendance à le limiter, à lui éviter la compétition avec d'autres enfants. Peut-être craignent-ils qu'il en soit blessé moralement... ce qui est plausible ! Mais que représente le risque de cette surprotection ? Qu'il devienne craintif, qu'il n'ose plus essayer quoi que ce soit ; de l'âge de la dépendance à l'âge l'adulte, naîtront une incapacité à établir des relations normales avec la fratrie ou avec des amis de son âge, une sous-estimation de lui-même ainsi que de l'immaturité.

Les parents doivent garder en tête que l'enfant épileptique est comme tout autre enfant : il ne réussira qu'à force d'essais répétés et il vaut mieux pour lui d'avoir échoué, mais d'avoir essayé, que de n'avoir rien tenté. Bien sûr, il ne sera pas toujours en mesure de bien juger ce qu'il peut tenter, ce qu'il peut réussir. C'est pourquoi les parents doivent veiller à ce qu'il ne se décourage pas en entreprenant trop de choses qu'il ne pourra mener à bien. Favoriser des activités qu'il aime permettra qu'il ne se rebelle contre leur autorité. Le soutenir dans ce qu'il désire faire, le valoriser dans ses efforts, l'encourager à faire des activités par lui-même, à son rythme et selon ses capacités favorisent son autonomie et le rend responsable. Les parents doivent aussi garder en tête que leur enfant doit avec le temps apprendre à assumer son épilepsie. Malgré le sentiment de culpabilité injustifié mais profond qui les habite, il faut éviter cette tendance à en faire trop pour l'enfant et à le gâter outre mesure.

Si l'enfant a des frères et des soeurs, la surprotection et les privilèges risquent de susciter de leur part des réactions ou des attitudes indésirables à son endroit ou à celui des parents. En fait, ces réactions viennent signifier à l'un ou à l'autre parent qu'ils considèrent que l'attachement à l'enfant épileptique qu'ils jugent excessif, se fait à leur détriment et qu'ils ont besoin d'avoir toute la place qui leur revient.

Certains milieux familiaux font face à un stress majeur lorsque l'enfant est atteint d'épilepsie rebelle. L'imprévisibilité des crises, les comportements difficiles ou les désordres psychiques soulèvent de grandes inquiétudes et confrontent les parents à leur impuissance. À quoi doivent-ils soustraire l'enfant? Plaisirs, sorties, loisirs, vie sociale et relationnelle en sont affectés. Les nuits sans sommeil, les déplacements multiples de la maison à la garderie et à l'école, la surveillance quasi continuelle, perturbent leur quotidien, génèrent de la fatigue et de l'épuisement. On observe souvent chez eux un sentiment d'isolement qu'entraîne l'éloignement de la famille élargie et des amis. Pour maintenir ou recouvrer leur équilibre personnel et relationnel, pour s'octroyer un temps de répit, ces familles doivent accepter de déléguer certaines tâches à des ressources communautaires et de planifier du temps de gardiennage.

Par ailleurs, dans l'intérêt des autres enfants, les parents comprendront qu'il faut également leur accorder du repos et que des vacances et des loisirs sans l'enfant épileptique sont nécessaires. En donnant aux autres enfants la place et l'espace qui leur reviennent, les parents apprennent à réorganiser leur mode de vie. Il leur sera ainsi plus facile de solliciter leur participation. Plutôt que de leur imposer des sacrifices, les parents choisissent de leur faire comprendre la situation de leur frère ou de leur sœur épileptique et, à l'occasion, ils veillent à les diriger pour qu'ils puissent apprendre à l'aider. En recouvrant ainsi leur place auprès de leurs parents, les enfants se sentent dès lors reconnus. Dans certaines situations où l'épilepsie entraîne des séquelles développementales, ils accepteront mieux, grâce aux explications de leurs parents, de considérer leur frère ou leur sœur comme le benjamin de la famille, donc celui qui a le plus besoin de supervision et d'attention du fait de son retard de développement. Les relations fraternelles se développent alors paisiblement, car ils n'ont plus de raison d'en vouloir à leur frère ou à leur sœur épileptique.

Les aspects relationnels du couple

La méconnaissance de l'impact de l'épilepsie sur la qualité de vie de leur enfant, sur son développement, sur ses apprentissages, génère parfois des désaccords majeurs entre les parents. Ces désaccords favorisent des conflits latents ou l'aggravation de conflits déjà existants. Le recours à de l'information, à de la guidance, à des conseils et, quelquefois, à de la thérapie, leur permettra de recouvrer un climat relationnel favorable. Pour d'autres parents, des mesures de soutien communautaire, du support des familles élargies et le ressourcement personnel faciliteront un bon fonctionnement.

Les aspects financiers

Les coûts inhérents aux hospitalisations, au transport en ambulance, à la réadaptation, aux rendez-vous chez le médecin, aux prescriptions médicales, aux gardiennes, etc., grèvent le budget familial. Lorsque l'un des deux parents doit renoncer à son emploi ou que la famille ne jouit que d'un seul salaire, la situation économique déficitaire peut occasionner des préoccupations de tout ordre et générer aussi des tensions au sein du couple et de la famille. De l'aide économique (recours aux subventions gouvernementales, crédits d'impôt et, quelquefois, organismes de charité) pourra suppléer en partie au manque à gagner.

Références

ELLIS N., D. UPTON et P. THOMPSON. « Epilepsy and the family : A review of current literature ». *Seizure* 2000 9 (1) : 22-30.

NOËL L. et J. TREMBLAY. « Le défi et le processus de deuil : Impacts sur la personne et sur son entourage ». *Cahier pédagogique* printemps 1990.

BEIT-JONES M.S. and L. ROBINS KAPUST. « Temporal lobe epilepsy : social and psychological considerations ». *Social Work in Health Care* 1985-86 11 (2) : 17-33.

CHAPITRE 12

LE SOUTIEN COMMUNAUTAIRE ET PSYCHOSOCIAL

▼

PAR AURORE THERRIEN

Dans la continuité des services offerts aux enfants ayant de l'épilepsie et à leur entourage, nous retrouvons les organismes communautaires en épilepsie. Ces associations sans but lucratif interviennent en complémentarité des services offerts par le réseau de la santé et des services sociaux. Ils sont situés en milieux ruraux ou urbains et assurent une représentativité à l'échelle régionale, provinciale, nationale ou internationale. Leur mission est de répondre aux besoins des groupes ou de la population qu'ils représentent.

Ces organismes se distinguent par une organisation centrée sur les personnes en tant que partenaires et par les valeurs qu'ils privilégient.

On peut résumer leur **philosophie** (qui est celle de Épilepsie Montréal Métropolitain) de la façon suivante :

- les mythes et les préjugés liés à notre ignorance sont tenaces en ce qui concerne l'épilepsie ;
- pour surmonter ce handicap social, il est important de ne pas considérer la personne épileptique comme étant différente des autres ;
- il s'agit plutôt d'entretenir une attitude positive envers elle et de reconnaître son potentiel réel tant sur le plan physique qu'intellectuel et affectif afin de lui permettre de développer une attitude créative face aux défis de la vie.

Quant à leurs **valeurs** (qui sont celles de l'Alliance canadienne de l'épilepsie), les voici :

- nous avons à cœur le droit des personnes de vivre dans la dignité en tant que membres à part entière de leur communauté ;
- nous croyons qu'une personne a le droit d'être informée de son état de santé et de collaborer de manière significative à son plan de traitement ;
- nous croyons que la notion de santé englobe les dimensions sociales et affectives du bien-être ;
- nous croyons que toute société doit être ouverte à tous ses membres et s'opposer à toute forme de discrimination ;
- nous croyons au respect de la confidentialité, à l'autodétermination et à la liberté de choix ;
- nous croyons que l'union fait la force.

Les programmes d'activités de ces organismes, dont la liste se retrouve dans la section « Ressources » du présent ouvrage, sont orientés vers l'éducation et le soutien, vers la sensibilisation et la démystification des préjugés reliés à l'épilepsie, vers la recherche, l'entraide et le soutien à l'intégration en milieu scolaire, à l'emploi et aux loisirs, vers la représentation et la défense des droits et vers la création de programmes novateurs.

Les organismes **locaux et régionaux** interviennent en offrant aux personnes ayant de l'épilepsie (adultes et enfants) et à leurs familles de l'information, du soutien et des références, la possibilité d'identifier des besoins et de résoudre des problèmes, de l'accompagnement dans les services spécialisés et dans la défense des droits ainsi que des groupes d'entraide, des activités de sensibilisation et la création de programmes novateurs.

Quant aux organismes **provinciaux**, ils ont pour mission d'offrir de l'éducation au grand public, de la représentation à l'échelle provinciale, du soutien aux organismes membres (organismes locaux ou régionaux).

Enfin, les organismes **nationaux** ont pour mandat de contribuer à l'éducation du grand public par des campagnes d'information, par des levées de fonds pour soutenir la recherche médicale et neuropsychologique, par de la représentation à l'échelle nationale et internationale, par du soutien aux organismes membres (des organismes provinciaux ou à l'ensemble des organismes d'épilepsie qui sont partenaires). Certains fonctionnent sur un mode hiérarchique et d'autres sous forme de partenariat.

L'impact de l'épilepsie sur la vie quotidienne

L'annonce du diagnostic demeure un moment difficile à vivre pour la plupart des familles. Le diagnostic peut générer de la tristesse, du déni, de la colère, un sentiment d'impuissance, de la culpabilité, de l'inquiétude quant à la santé de l'enfant, son développement, son avenir. L'épilepsie affectera différemment, à ce moment ou plus tard, les membres de la famille : les parents, les frères et sœurs, l'enfant ayant à vivre avec cette condition.

Les parents

La venue d'un nouvel enfant dans une famille demeure une expérience riche en émotions. Elle est généralement source d'espoir, de joie, d'amour et d'épanouissement pour les parents. Chaque naissance est aussi vécue en lien avec le passé de chacun des parents et son histoire personnelle. Elle est également rattachée à son avenir sous la forme de fantaisies, de désirs et d'attentes quant au devenir de cet enfant. Certaines de ces attentes sont réalistes, d'autres ne le sont pas. Suite à l'annonce du diagnostic, ce système de croyances se trouve bouleversé et certains parents doivent reconsidérer leur désir d'avoir un enfant parfait, sans défaut.

Il semble que tous les parents vivent sensiblement les mêmes sentiments et suivent un cheminement similaire vers l'adaptation à la condition de leur enfant. Ce cheminement type qui se déroule cependant à un rythme et selon un mode qui peut varier selon les individus se diviserait en cinq étapes qui marquent une progression vers la solution de crise et l'adaptation à une situation nouvelle. Ce processus s'amorce dès l'annonce de la condition de l'enfant ou la confirmation du diagnostic. Il est d'abord vécu dans toute son intensité, c'est l'état de choc. Apprendre que leur enfant souffre d'épilepsie chambarde les projets d'avenir, bouleverse toute la vie telle qu'on se l'imaginait.

À l'impact initial fait suite le refus ou la négation du handicap. Face à la réalité, certains parents auront tendance à nier son évidence ou à refuser de croire au diagnostic, de façon peut-être à s'accorder un répit psychologique ou à prendre un peu de recul devant l'inacceptable, devant ce sentiment d'impuissance. Ils peuvent vivre également des sentiments de honte, de colère, de solitude et de marginalité. Les parents cherchent aussi à connaître les raisons et les causes de la condition. Peu à peu, la lumière commence à poindre au bout du tunnel. Les émotions perdent de leur intensité et l'anxiété diminue. Les parents acceptent les limites de l'enfant. Puis, ils parviennent au stade de la réorganisation où ils sont en mesure d'accepter l'enfant tel qu'il est avec ses limites et son potentiel. Il devient alors plus facile d'admettre les contraintes et les limites du traitement. Selon la condition de l'enfant, ils ont une vision plus réaliste de son avenir. Ils participent et s'impliquent de plus en plus dans le processus éducatif bien qu'ils puissent faire face à des difficultés concrètes liées à la vie quotidienne : la résistance de l'environnement vis-à-vis de l'enfant, la recherche de services appropriés et l'organisation des soins requis par l'enfant, l'équilibre et les problèmes monétaires.

L'atteinte d'une certaine sérénité et d'un équilibre émotionnel prend du temps. Ce processus varie cependant selon les individus, selon leurs expériences antérieures, leur personnalité, leur capacité à s'adapter au stress et au changement, et aussi selon les milieux.

Certains parents disent qu'ils n'ont jamais accepté l'épilepsie de leur enfant, mais qu'ils ont appris à vivre avec.

Les frères et sœurs

Les frères et sœurs d'un enfant épileptique peuvent se retrouver dans une situation précaire et difficile. Ils peuvent éprouver de la tristesse ou se demander : « Pourquoi cela ne m'est-il pas arrivé à moi ? » Dans certaines familles, on peut nier leur droit à poser des questions. Les sentiments ressentis par la fratrie peuvent être affectés par des changements dans la condition médicale de l'enfant porteur d'épilepsie. Les parents peuvent éprouver de la difficulté à reconnaître les sentiments de tristesse, d'impuissance, de colère et de culpabilité vécus par les autres enfants de la famille. Ils peuvent être aussi très vulnérables à l'expression de ces sentiments.

Des interactions normales entre les frères et sœurs d'une même famille impliquent de la jalousie, le désir d'attention de la part des parents, de la compétition. Ces sentiments normaux peuvent être vécus difficilement par les parents, surtout s'ils se manifestent envers l'enfant ayant le diagnostic d'épilepsie. Les autres enfants de la famille auront de la difficulté à comprendre et à accepter les encouragements répétés des parents à son égard, à faire des choses et à vivre des expériences enrichissantes surtout s'ils sont tenus à l'écart de cette démarche et s'ils demeurent insuffisamment informés de sa condition. Ce manque d'information et cette mise à l'écart des discussions familiales peuvent accroître la mystification dont ils entourent l'épilepsie et en favoriser le déni.

L'enfant porteur de l'épilepsie

François était un jeune garçon de 10 ans. Il était triste et en colère d'avoir l'épilepsie. Triste et en colère parce qu'il ne voulait pas avoir de crises. Même s'il n'avait eu que quelques crises, il en avait peur car celles-ci pouvaient se manifester de façon imprévisible. La nature imprévisible de l'épilepsie peut causer de la détresse même chez les personnes dont l'épilepsie est bien contrôlée, ce qui se traduit par des difficultés psychosociales. Par ailleurs, François n'aimait pas dire qu'il avait peur. Il était un enfant perfectionniste. L'épilepsie était quelque chose de plus chez lui, lui montrant qu'il n'était pas parfait.

Lorsque François commença à parler de son épilepsie, il apparut que ses propres sentiments envers l'épilepsie étaient plus préoccupants que les crises elles-mêmes. Après avoir vu une crise d'épilepsie dans un film de fiction à l'école, il se mit à éviter le cinéma. Il devint en général plus réticent à participer à des activités à l'extérieur. Il devint mal à l'aise avec ses amis et éprouva de la colère envers les membres de sa famille. Personne ne pouvait améliorer sa condition. À l'âge de 10 ans, François essayait de s'adapter du mieux qu'il pouvait à la nouvelle vision qu'il avait de l'épilepsie et à ses propres sentiments à ce sujet.

L'accompagnement des familles

Dès l'annonce du diagnostic, l'organisme communautaire offre aux membres de la famille de l'enfant ayant reçu un diagnostic d'épilepsie, de l'écoute, du soutien, de l'information, des références et de l'accompagnement dans diverses ressources spécialisées. Cette intervention s'effectue dans un climat de coopération et de respect mutuel. Elle a pour objectif, à moyen ou à long terme, l'adaptation de tous les membres de la famille à cette nouvelle situation. Elle se poursuivra aussi longtemps que cela s'avèrera nécessaire. Le soutien, l'éducation et l'entraide ont pour but d'aider la famille à se prendre en charge. Elle valorise l'entraide entre parents et l'échange entre les pairs.

L'information et le soutien reçus permettront aux parents d'effectuer les meilleurs choix de traitements pour leur enfant et de soutenir les efforts de tous ceux qui seront impliqués à différentes étapes dans l'aide qui sera apportée à leur enfant ou à leur adolescent. Ils contribueront à diminuer leurs inquiétudes, à démystifier les fausses croyances qu'ils ont de l'épilepsie. Finalement, ils leur fourniront les outils et les connaissances leur permettant d'accompagner adéquatement leur enfant.

Des parents bien informés et soutenus tout au long de leur processus d'adaptation à l'épilepsie réussiront généralement à surmonter leur sentiment d'impuissance et auront une perception plus positive de leurs habiletés parentales.

L'éducation aide les parents à accepter la réalité de l'épilepsie. Les lectures et les échanges qu'ils auront sur les aspects psychosociaux de l'épilepsie peuvent jouer un rôle significatif dans la prévention de l'apparition de ces problèmes chez leur enfant.

Parler d'épilepsie aux enfants

L'épilepsie peut effrayer ou semer la confusion chez l'enfant qui en est atteint tout comme chez celui qui aura à côtoyer une personne affectée par cette condition. Il est important pour le parent et l'enseignant de bien connaître l'épilepsie pour être capable d'en parler aux enfants.

Les enfants ne réagissent pas tous de la même façon à l'épilepsie. Il est donc essentiel de faire preuve de souplesse. Certains enfants seront satisfaits par une brève explication alors que d'autres demanderont de l'information plus détaillée.

Il peut être intéressant de débuter la relation en vérifiant leur compréhension de l'épilepsie et, par la suite, de tout simplement répondre à leurs questions, en tenant compte de leur âge et de leur développement.

Il est essentiel d'encourager l'enfant dès son jeune âge à prendre de petites responsabilités dans divers aspects de son épilepsie touchant, par exemple, la prise de ses médicaments, les heures de sommeil, la sécurité, etc.

On peut aussi impliquer les frères et sœurs en leur confiant une responsabilité dans les soins à apporter au moment d'une crise. Par exemple : enlever les objets susceptibles de blesser la personne, le réconforter tout en demeurant à ses côtés.

N'hésitez pas à poser les questions qui vous préoccupent à l'infirmier ou à l'infirmière en neurologie, ou au neurologue traitant. Il vous est possible d'obtenir de l'information et du soutien, des brochures et des documents audiovisuels de votre association locale. L'utilisation de matériel éducatif illustrant le fonctionnement du cerveau pourra également vous aider à vous acquitter avec succès de cette importante mission.

Intégration à la vie sociale

La notion de handicap

L'Organisation mondiale de la santé a adopté en 1989 une nouvelle classification des incapacités et handicaps (Classification internationale des incapacités et handicaps ou CIDIH). Le handicap n'est plus considéré comme inhérent au seul individu concerné, mais renvoie aussi aux « normes » et aux « attentes sociales », puisqu'il résulte en effet d'une discordance entre l'activité de la personne et ce que son groupe d'appartenance attend d'elle. Dans la mesure où normes, attentes et relations sociales peuvent être modifiées, les handicaps peuvent être atténués, compensés ou réduits dans leur dimension sociale, non seulement par les aides multiformes apportées à la personne affectée mais aussi par les transformations effectuées dans son cadre de vie, d'étude et de travail.

L'épilepsie peut susciter dans l'entourage des jeunes qui en sont atteints des peurs rattachées à l'inconnu, à une méconnaissance ou à de fausses conceptions. Bien que le *stigma* relatif à l'épilepsie soit beaucoup moins présent de nos jours, il est possible qu'à certains moments de leur vie certains de ces jeunes y soient exposés. Ces préjugés très souvent basés sur l'ignorance pourront avoir un impact plus ou moins important sur différents aspects de la vie de l'enfant ou de l'adolescent, que ce soit dans la famille, à l'école, durant les activités sportives ou de loisirs, au cours des voyages, dans les endroits publics, dans les relations interpersonnelles et dans sa capacité à trouver un emploi.

Dans certains cas, le statut d'enfant « handicapé » aura un impact plus important sur la vie de l'enfant que ses crises elles-mêmes. Ces effets « handicapants » de l'épilepsie se refléteront sur la perception qu'il aura de lui-même et de sa condition. La perception négative d'eux-mêmes qui touchent certains jeunes est attribuable au *stigma* généré par l'épilepsie. Le *stigma* réfère à une désapprobation sociale et à une vision négative de l'épilepsie, perçue comme inacceptable ou dérangeante. Ces préjugés proviennent principalement de l'ignorance et de réactions négatives suscitées par l'effet de surprise associée à l'imprévisibilité des crises d'épilepsie, particulièrement lors des crises convulsives.

L'entourage de l'enfant (parents, professeurs, amis, moniteurs, etc.) aura tendance à adopter des attitudes de surprotection envers le jeune. Les parents anticipent la survenue d'une nouvelle crise et se soucient des blessures possibles que peut subir l'enfant, au cours de son développement normal ou au moment de la crise. Ils ne veulent pas que l'enfant subisse de dommage physique ou émotionnel et évitent de lui faire des demandes jugées trop exigeantes ou maintiennent l'enfant à l'écart, l'empêchant de jouer avec ses camarades, de faire du sport en insistant sur son extrême vulnérabilité.

Il convient d'encourager l'enfant à participer à toutes les activités propres à son âge, selon ses goûts et ses aptitudes, tout en respectant certaines mesures de sécurité. La plupart des enfants ayant de l'épilepsie n'auront pas besoin de mesures spéciales d'intégration ou d'adaptation. Certains enfants atteints d'épilepsie réfractaire ou ayant un handicap associé à l'épilepsie pourront bénéficier de mesures spéciales.

Les amitiés et les relations amoureuses

C'est à l'occasion de sorties entre amis ou de fréquentations amoureuses que peuvent ressurgir toutes les craintes reliées à l'épilepsie. « Dois-je le dire ? Qu'est-ce que ces personnes vont penser de moi ? » Il est important pour les jeunes ayant de l'épilepsie de développer une compréhension de leur épilepsie et d'être capable de communiquer leurs connaissances dans diverses situations. L'adaptation à l'épilepsie est un processus graduel pour le jeune tout comme pour ses amis. Ceux-ci peuvent aller au delà de l'épilepsie pour reconnaître la valeur de la personne.

Les activités sportives

L'activité sportive est bénéfique à l'épilepsie. La participation à une activité sportive contribue souvent à structurer l'horaire et le régime de vie de l'individu. La prise régulière de la médication, un horaire stable de sommeil et d'activités sont les meilleurs garants de contrôle efficace des crises.

Les sports, et particulièrement les sports de contact, sont régis par des normes de sécurité qui doivent être observées par tous, qu'ils aient de l'épilepsie ou non. Dans l'épilepsie idiopathique (sans cause connue), la participation sera basée sur l'expérience. Si l'usage montre qu'en dépit d'un ajustement optimal de la médication, le jeune fait des crises lors de la pratique d'une activité sportive, il est évidemment souhaitable de la cesser. Dans l'épilepsie symptomatique, l'autorisation d'activité sportive sera basée sur la maladie sous-jacente. À titre d'exemple, l'individu qui a de l'épilepsie en raison d'une malformation artérioveineuse cérébrale ne pourrait s'engager dans des sports de contact ou dans des activités entraînant une hausse importante du débit cardiaque. Pour les autres, les sports de contact ne sont pas contre-indiqués. Secouer la tête ne fait pas convulser. La boxe toutefois devrait être interdite. Dans le doute, il vaut toujours mieux en parler à son neurologue.

Certaines activités sportives, comme la course automobile et le deltaplane, placent l'individu dans une situation où une perte de contact, même brève, comporte des risques majeurs pour sa vie ou celle des autres. Pour le plongeon et la natation, les précautions habituelles devraient être prises, à savoir la présence d'un sauveteur, de préférence expérimenté et peut-être prévenu. L'équitation, le football et le trapézisme sont des exemples d'activités sportives vers lesquelles il serait préférable de ne pas orienter un jeune ayant de l'épilepsie. Toutefois, si ces sports font déjà partie de ses activités, ils pourront être maintenus avec certaines précautions supplémentaires et en tenant compte de l'impact social et psychologique que leur interdiction entraînerait.

Les moniteurs, superviseurs, professeurs d'éducation physique devraient être prévenus de la condition épileptique de leur élève. S'ils en sont informés, ces intervenants pourront exercer une surveillance plus efficace dans les situations à risque comme à la piscine. Leur intervention sera plus efficace si une crise se produit. L'utilisation des médicaments par le jeune risque moins de porter à la mésinterprétation.

Les camps de vacances

Les activités de camps de vacances, le scoutisme ou le camping sont des activités agréables et stimulantes pour les jeunes ayant de l'épilepsie. Ils pourront en retirer le maximum de bénéfices dans la mesure où ils pourront participer en toute sécurité à l'ensemble des activités qui y sont offertes : athlétisme, hébertisme*, jeux de groupe, natation, canotage, planche à voile, etc. Il est par conséquent essentiel que les responsables de ces activités soient adéquatement informés sur la condition de l'enfant, sur sa médication et sur ce qu'il faut faire en cas de crise.

La conduite automobile

Il est aujourd'hui possible pour un jeune de 16 ans ayant de l'épilepsie de conduire un véhicule de promenade s'il a été un an sans faire de crise. Il devra fournir un rapport médical annuel attestant qu'il n'a pas fait de crise au cours des 12 derniers mois. Les permis sont émis par la Régie de l'assurance automobile, qui est assistée dans cette tâche d'un directeur médical, lequel est lui-même assisté d'un comité consultatif formé de médecins de différentes disciplines, dont un neurologue.

Sécurité

Une vie active favorise le bonheur, l'estime de soi et les interactions sociales. On devrait encourager votre enfant à mener

* Méthode d'éducation physique qui consiste en exercices naturels (marche, saut, nage, etc.) effectués en plein air.

une vie active. Cela dit, les enfants dont les crises ne sont pas bien maîtrisées peuvent devoir observer certaines directives.

Il est à remarquer que les lignes directrices suivantes ne sont pas exhaustives ni infaillibles. En matière de sécurité, le bon sens devrait toujours prévaloir.

La sécurité à bicyclette

Tous les cyclistes et particulièrement les enfants atteints d'épilepsie devraient porter un casque (dans certaines provinces, le port du casque est obligatoire). Ce casque devrait être approuvé par l'Association canadienne de normalisation (CSA®) et s'ajuster correctement. Un accident à bicyclette peut endommager la doublure du casque. Si tel est le cas, il est préférable de le remplacer.

Ce casque peut être acheté dans le commerce. Les parents doivent s'assurer qu'il protège bien la tête de l'enfant. Dans le doute, ils peuvent le faire vérifier par un physiatre ou un ergothérapeute.

La baignade

La baignade peut constituer une activité sûre et plaisante pour autant que les directives qui suivent soient observées.

- Consulter le médecin avant de laisser l'enfant se baigner ;
- l'enfant devrait se baigner dans une piscine ou un plan d'eau que connu par les parents, et non dans une rivière ou un lac inconnu ;
- l'enfant ne devrait jamais se baigner seul, mais sous la surveillance d'un sauveteur ;
- le sauveteur devrait être au fait des crises ;
- éviter les piscines bondées où l'enfant serait difficile à repérer ;
- l'enfant devrait porter un bonnet de bain clairement identifié ou une ceinture de sauvetage approuvée par la CSA®.

Sur l'eau

- L'enfant ne devrait jamais se trouver seul dans une embarcation;
- il devrait toujours porter une ceinture de sauvetage approuvée par la CSA®;
- si les faisceaux lumineux clignotants sont à l'origine de ses crises, il devrait porter des lunettes à verres polarisants (pour atténuer les reflets du soleil sur l'eau).

Les sports d'hiver

- L'enfant devrait porter un casque approuvé par la CSA® et qui s'ajuste correctement. Une chute peut endommager la doublure du casque. Si tel est le cas, il est préférable de remplacer ce dernier;
- si les faisceaux lumineux clignotants sont à l'origine de ses crises, il devrait porter des lunettes à verres polarisants (pour atténuer les reflets du soleil sur la neige).

La sécurité à la maison

Si les crises sont très fréquentes, le domicile doit être le plus sécuritaire possible.

Cuisine

- Les fours à micro-ondes sont plus sûrs que les cuisinières et les fours traditionnels;
- éviter la vaisselle cassable;
- éviter les mixeurs et les couteaux électriques.

Salle de bains

- L'enfant ne devrait pas verrouiller la porte de la salle de bains;
- il devrait éviter de prendre un bain sans surveillance. La douche est généralement plus sûre;
- si l'épilepsie est sévère, on peut faire ajuster la robinetterie de la douche à température moyenne pour éviter les brûlures occasionnées par une chute;
- la cabine de douche devrait être dotée d'un tapis antidérapant. L'enfant devrait s'y asseoir pour se doucher;

- éviter les portes de douche en verre.

Télévision et ordinateur

Si les crises sont déclenchées par des faisceaux lumineux clignotants :

- s'assurer que l'écran de télévision ou de l'ordinateur ne scintille pas ;
- allumer une lampe dans la pièce pour réduire le contraste ;
- demander à l'enfant de se placer à une distance de 3 mètres et dans un angle de 45 degrés pour regarder la télévision ;
- éviter les jeux vidéo comportant des éclairs et des lumières scintillantes.

De façon générale

- Les bungalows sont plus sûrs que les maisons à étages multiples ;
- il est préférable d'éviter les escaliers ;
- le mobilier devrait présenter des rebords arrondis ;
- la présence de verre et d'objets fragiles devrait être réduite au minimum ;
- les systèmes de chauffage à air pulsé sont préférables aux radiateurs et aux plinthes dont les éléments sont exposés ;
- le service de prévention des incendies dispose d'un programme informatisé pour repérer et évacuer toute personne vivant à la maison ayant un problème de mobilité dû à un handicap ou en appartement : *Dormez sur vos deux oreilles*.

L'école[1]

L'intégration scolaire

Au cours des dernières années, des progrès importants ont été réalisés dans l'intégration scolaire des enfants ayant de l'épilepsie. La majorité de ces enfants fréquente l'école régulière

1. L'information concernant l'intégration scolaire provient du guide *L'enfant, l'épilepsie et l'école*, publié par *Épilepsie Montréal Métropolitain*.

et il nous apparaît essentiel que cette ouverture du monde de l'éducation se poursuive.

La plupart des chercheurs soutiennent que c'est au sein de l'école « ordinaire » de leur quartier que les jeunes atteints d'épilepsie ont le maximum de possibilités de développer leur potentiel intellectuel, social et affectif, et de trouver la réponse la plus appropriée à leurs besoins. L'intégration à la classe régulière favorise les différents apprentissages ainsi que les échanges stimulants et diversifiés avec les pairs. Elle habitue, par ailleurs, les enfants à vivre dans un milieu conforme à la réalité sociale et multiplie ainsi leurs chances de prendre un jour leur « vraie place » dans la collectivité.

Tous les éducateurs le savent, l'intégration scolaire est plus qu'une affaire de « classement ». Une intervention efficace doit s'appuyer sur la mise en place de conditions favorables au développement de l'enfant. Accordée à ce principe, la nouvelle Loi sur l'instruction publique (la Loi 107) reconnaît clairement la nécessité de coordonner les efforts des différentes ressources dans le cadre d'un plan d'intervention personnalisé.

TABLEAU 1

Ce que les intervenants scolaires doivent savoir

1. L'épilepsie affecte entre 1 % et 2 % de la population. On estime qu'environ 16 000 jeunes fréquentant les écoles primaires et secondaires du Québec vivent avec ce trouble neurologique.
2. Ce ne sont pas tous les enfants atteints d'épilepsie qui éprouvent des difficultés scolaires. Ces derniers sont cependant plus susceptibles de développer des problèmes d'apprentissage et d'adaptation. Selon les recherches, plus du tiers d'entre eux réussissent moins bien que leurs aptitudes ne le laissent supposer.
3. La grande majorité des enfants atteints d'épilepsie ont un potentiel intellectuel égal à celui de la population scolaire en général.

4. L'épilepsie peut apparaître à tout âge, mais la majorité des personnes atteintes (plus de 50 %) ont leurs premières crises durant l'enfance et l'adolescence.
5. Plusieurs enfants verront leurs crises disparaître à l'âge adulte, mais leur existence entière peut être hypothéquée si leur cheminement scolaire a été perturbé.

TABLEAU 2

Ce que les intervenants scolaires peuvent faire

1. Éviter de sous-estimer les capacités des élèves atteints d'épilepsie.
2. S'informer de la nature réelle de l'épilepsie et de son impact possible sur le développement de l'enfant.
3. S'informer de la condition spécifique de chaque élève atteint d'épilepsie : la cause, les manifestations et les effets de l'épilepsie varient grandement d'un enfant à l'autre.
4. Observer l'enfant dans sa façon d'apprendre et d'agir, et partager ces informations avec les différents intervenants afin de développer une approche coopérative.
5. Encourager l'enfant à participer à toutes les activités courantes de l'école (selon les directives des parents).
6. Prévenir l'exclusion sociale de l'enfant en sensibilisant ses pairs et les adultes de son entourage.
7. Élaborer, au besoin, un plan d'intervention personnalisé et demander une évaluation qui identifie clairement les difficultés de l'enfant.

Les difficultés d'apprentissage et d'adaptation rencontrées par certains enfants atteints d'épilepsie peuvent être prévenues ou atténuées grâce à une intervention adéquate.

La divulgation de l'épilepsie

Pour trouver des solutions adaptées aux difficultés de l'enfant, les intervenants scolaires doivent être informés de sa condition. Par conséquent, la communication entre les parents et l'école apparaît comme le préalable de toute intervention.

Encore aujourd'hui, certains parents omettent de signaler l'épilepsie de leur enfant, de crainte que ce dernier ne soit « étiqueté ». Bien que compréhensible, cette manière d'agir s'avère regrettable, et cela, pour plusieurs raisons. D'abord, même si l'enfant ne fait jamais de crise en classe, il se peut que son rendement scolaire ou son comportement soient influencés par sa condition.

Par ailleurs, il est possible que les crises qui surviendraient soient mal interprétées par le personnel de l'école. Les absences peuvent être prises pour de la rêverie, de la distraction ou de la paresse. Les crises partielles complexes risquent de passer pour de l'indiscipline ou de la manipulation. Enfin, certains traits parfois présents, comme la lenteur d'élocution, un ralentissement moteur ou une faible concentration peuvent donner une fausse idée du potentiel intellectuel de l'élève et amener une sous-estimation de ses capacités.

Le plan d'intervention (Loi 107 de l'instruction publique)

« Le directeur de l'école, avec l'aide des parents d'un élève handicapé ou en difficulté d'adaptation ou d'apprentissage, du personnel qui dispense des services à cet élève et de l'élève lui-même, à moins qu'il en soit incapable, établit un plan d'intervention adapté aux besoins de l'élève. Ce plan doit respecter les normes prévues par le règlement de la commission scolaire. » (Article 47 de la Loi 107 de l'instruction publique)

Le plan d'intervention permet d'identifier et d'analyser les besoins particuliers de l'enfant qui présente des difficultés d'adaptation ou d'apprentissage afin de venir en aide à cet enfant. Le parent de l'enfant ou un enseignant peut effectuer la demande.

Le plan d'intervention doit s'établir en présence des parents de l'enfant et avec sa collaboration s'il est en âge et possède les capacités de compréhension pour le faire, en présence du personnel spécialisé du milieu scolaire et avec, s'il y a lieu, l'implication du neurologue traitant de l'enfant ou du neuropsychologue, et d'un conseiller de l'Office des personnes handicapées ou encore d'une personne-ressource d'une association d'épilepsie.

Assouplir le cadre scolaire

Pour « donner une chance » à l'enfant et atténuer les conséquences de ses crises, les solutions suivantes peuvent être envisagées au besoin :

- permettre des accommodements pour les examens : prolongation du temps alloué, horaires flexibles, droit de reprise en cas d'absentéisme dû à une crise ;
- offrir des périodes de récupération scolaire ;
- profiter des moments de la journée où l'enfant est le plus alerte, si ses médicaments tendent à le rendre somnolent ; si la médication interfère de façon évidente avec l'apprentissage, les parents devraient être avisés ;
- permettre de continuer le travail scolaire à la maison ;
- permettre à l'enfant d'utiliser l'ascenseur au lieu de l'escalier ;
- éviter si possible des mesures qui marginalisent l'enfant.

La participation aux activités courantes

L'épilepsie est une condition chronique et le fait d'imposer à l'élève une série de restrictions peut entraîner de sérieuses conséquences sur son développement personnel et social. Il apparaît évident que certaines situations peuvent nécessiter des mesures préventives particulières, mais ces règles de prudence doivent toujours être évaluées de façon individuelle, selon les directives des parents et en tenant compte des facteurs suivants :

- le type de crises ;
- la fréquence des crises ;
- le moment où les crises surviennent.

En général, rien ne justifie le fait qu'on empêche un élève atteint d'épilepsie de participer aux activités scolaires, parascolaires et aux sorties organisées. Les intervenants doivent au contraire encourager l'enfant à mener une vie active, autonome et comportant le moins de limitations possibles.

Liste des figures

Ressources

Livres pour les parents

Épilepsie Canada.
Diète cétogène.
Montréal: Épilepsie Canada, 2004. 16 p.

Épilepsie Canada.
Les enfants et l'épilepsie: ce que les parents doivent savoir.
Montréal: Épilepsie Canada 2002. 42 p.

Fédération française pour la recherche sur l'épilepsie.
Comment vivre avec une personne atteinte d'épilepsie.
Paris: Éditions Josette Lyon, 2002. 150 p.

SOULAYROL, René.
L'enfant foudroyé: comprendre l'enfant épileptique.
Paris: Odile Jacob, 1999. 365 p.

Livres pour les jeunes

Épilepsie Canada.
Les ados et l'épilepsie: ce que tu dois savoir.
Montréal: Épilepsie Canada, 2002. 28 p - 12 ans+

HERMES, Patricia.
Le secret de Jérémy.
Paris: Père Castor Flammarion, 1998. 210 p. (Castor Poche) - 9 ans +

PINEAU-VALENCIENNE, Valérie.
Une cicatrice dans la tête.
Paris: Pocket jeunesse, 2003. 222 p. - 14 ans +

YOUNG, Helen.
Plus de gym pour Danny.
Paris: Flammarion, 2001. 144 p. (Castor poche) - 9 ans +

Organismes

INTERNATIONAL

International Bureau for Epilepsy
Site web : www.ibe-epilepsy.org

CANADA

Épilepsie Canada
1470, rue Peel, bureau 745
Montréal (Québec) H3A 1T1
Téléphone : (514) 845-7855
Téléphone sans frais : 1-877-734-0873
Fax : (514) 845-7866
Courriel : epilepsy@epilepsy.ca
Site web : www.epilepsy.ca

Association québécoise de l'épilepsie
1015, Côte du Beaver Hall, bureau 111
Montréal (Québec) H2Z 1S1
Téléphone : (514) 875-5595
Fax : (514) 875-0077
Courriel : aqe@cooptel.qc.ca
Site web : www.cam.org/~aqe

Épilepsie Montréal Métropolitain
3800, rue Radisson
Montréal (Québec) H1M 1X6
Téléphone : (514) 252-0859
Fax : (514) 252-0598
Courriel : epimtl@cam.org

Cet organisme peut fournir les noms et les coordonnées des associations régionales au Québec

EUROPE

Belgique

Ligue francophone belge contre l'épilepsie
Avenue Albert, 135
1190 Bruxelles
Téléphone : 02.344.32.63

Fax: 02.343.68.37
Courriel : epilepsie.lfbe@skynet.be
Site web : www.ligueepilepsie.be

France

Association AISPACE
(Agir, Informer, Sensibiliser le Public pour Améliorer la Connaissance des Épilepsies)
38 rue du Plat
59000 Lille
Téléphone : 03 20 57 19 41
Fax : 03 20 09 41 24
Courriel : lille.aispace@wanadoo.fr
Site web : www.epilepsies-epileptiques.com

Épilepsie France
133, rue Falguière
75015 Paris
Téléphone : 33(1) 53 80 66 64
Fax : 33(1) 53 80 66 64
Courriel : contact@epilepsie-france.fr
Site web : www.epilepsie-france.fr

FFRE (Fondation Française pour la Recherche sur l'Épilepsie)
9, avenue Percier
75008 Paris
Téléphone : 01 47 83 65 36
Fax : 01 40 61 01 44
Courriel : ffre@fondation-epilepsie.fr
Site web : www.fondation-epilepsie.fr

Suisse

Fondation Éclipse - Épilepsie Suisse romande
Av. de Rumine, 2
Case postale 516
1001 Lausanne
Téléphone : 021 601 06 66 (répondeur en cas d'absence)
Fax : 021 312 55 81
Courriel : info@epi-eclipse.ch
Site web : www.epi-eclipse.ch

Ligue Suisse contre l'Épilepsie
Seefeldstrasse, 84
8034 Zurich
Téléphone: 41.43.488 67 77
Fax: 41.43.488 67 78
Courriel: info@epi.ch
Site web: www.epi.ch

ParEpi - Association Suisse de Parents d'Enfants Épileptiques
Chemin des Roches, 14
1009 Pully
Téléphone: 021 729 16 85
Courriel: parepi.engler@bluewin.ch
Site web: www.parepi.ch

Autres ressources

Office des personnes handicapées du Québec (OPHQ)
Centre de documentation
500, boul. René-Lévesque Ouest, bur. 15.600
Montréal (Québec) H2Z 1W7
Téléphone: (514) 873-3574 ou 1-888-873-3905 (sans frais)
Fax: (514) 873-9706
Site web: www.ophq.gouv.qc.ca

Régie des rentes du Québec
Supplément pour enfant handicapé ou rente d'invalidité
Case postale 7777
Québec (Québec) G1K 7T4
Téléphone: (514) 864-3873 (région de Montréal)
Téléphone: 1-800-667-9625 (numéro sans frais ailleurs au Québec)
Téléphone pour personne sourde ou malentendante: 1-800-603-3540 (sans frais)
Site web: www.rrq.gouv.qc.ca

Revenu Québec
Crédit d'impôt pour les frais médicaux
Complexe Desjardins
C.P. 3000, succursale Desjardins
Montréal (Québec) H5B 1A4
Téléphone: (514) 873-2600 ou 1-866-440-2500 (sans frais)
Site web: www.revenu.gouv.qc.ca

MedicAlert®
2005, avenue Sheppard Est - Bureau 800
Toronto (Ontario) M2J 5B4
Téléphone : 1-800-668-6381 (sans frais)
Site web : www.medicalert.ca

MedicAlert® s'assure que vos renseignements médicaux vitaux soient connus rapidement par les premiers répondants en situation d'urgence et le personnel médical. En devenant membre, vous avez droit à un bracelet, un pendentif ou une montre MedicAlert® sur lequel sont gravés les principaux renseignements médicaux vous concernant et un numéro de dossier. Ces informations demeurent confidentielles. Le service MedicAlert® est accessible 24 heures sur 24 partout au Canada.

Sites Internet

Pour les parents

Comprendre l'épilepsie
www.arpeije.org/comprendre
Association pour la recherche, pour l'éducation et pour l'insertion des jeunes épileptiques

Les enfants atteints d'épilepsie
www.servicevie.com/02Sante/Sante_enfants/Enfants270999/enfants270999.html
Service Vie

Les enfants et les crises épileptiques : guide pour garder les enfants épileptiques
www.prevention.ch/lescrisesepileptiques.htm
Association suisse de parents d'enfants épileptiques

Épilepsie de l'enfant : la maladie retentit sur toute la famille
www.doctissimo.fr/html/dossiers/epilepsie/sa_6116_epilepsie_journee.htm
Doctissimo

Pour les jeunes

L'épilepsie expliquée aux enfants : Steve le héros
www.arpeije.org/comprendre/steve1.html
Association pour la recherche, pour l'éducation et pour l'insertion des jeunes épileptiques

Guide de l'épilepsie pour les enfants
www.epilepsy.ca/fran/mainSetFR.html
Épilepsie Canada (Section – Le coin des jeunes)

Les ados et l'épilepsie : ce que tu dois savoir
www.epilepsy.ca/fran/mainSetFR.html
Épilepsie Canada (Section – Le coin des adolescents)

La Collection du CHU Sainte-Justine
pour les parents

Ados : mode d'emploi
Michel Delagrave

Devant le désir croissant d'indépendance de l'adolescent et face à ses choix, les parents développent facilement un sentiment d'impuissance. Dans un style simple et direct, l'auteur leur donne diverses pistes de réflexion et d'action.

ISBN 2-89619-016-3 2005/176 p.

Aide-moi à te parler !
La communication parent-enfant
Gilles Julien

L'importance de la communication parent-enfant, ses impacts, sa force, sa nécessité. Des histoires vécues sur la responsabilité fondamentale de l'adulte : l'écoute, le respect et l'amour des enfants.

ISBN 2-922770-96-6 2004/144 p.

Aider à prévenir le suicide chez les jeunes
Un livre pour les parents
Michèle Lambin

Reconnaître les indices symptomatiques, comprendre ce qui se passe et contribuer efficacement à la prévention du suicide chez les jeunes.

ISBN 2-922770-71-0 2004/272 p.

L'allaitement maternel
(2e édition)

Comité pour la promotion de l'allaitement maternel de l'Hôpital Sainte-Justine

Le lait maternel est le meilleur aliment pour le bébé. Tous les conseils pratiques pour faire de l'allaitement une expérience réussie!

ISBN 2-922770-57-5 2002/104 p.

Apprivoiser l'hyperactivité et le déficit de l'attention
Colette Sauvé

Une gamme de moyens d'action dynamiques pour aider l'enfant hyperactif à s'épanouir dans sa famille et à l'école.

ISBN 2-921858-86-X 2000/96 p.

L'asthme chez l'enfant
Pour une prise en charge efficace
Sous la direction de Denis Bérubé, Sylvie Laporte et Robert L. Thivierge

Un guide pour mieux comprendre l'asthme, pour mieux prévenir cette condition et pour bien prendre soin de l'enfant asthmatique.

ISBN 2-89619-057-0 2006/168 p.

Au-delà de la déficience physique ou intellectuelle
Un enfant à découvrir

Francine Ferland

Comment ne pas laisser la déficience prendre toute la place dans la vie familiale ? Comment favoriser le développement de cet enfant et découvrir le plaisir avec lui ?

ISBN 2-922770-09-5 2001/232 p.

Au fil des jours... après l'accouchement

L'équipe de périnatalité de l'Hôpital Sainte-Justine

Un guide précieux pour répondre aux questions pratiques de la nouvelle accouchée et de sa famille durant les premiers mois suivant l'arrivée de bébé.

ISBN 2-922770-18-4 2001/96 p.

Au retour de l'école...
La place des parents dans l'apprentissage scolaire
(2e édition)

Marie-Claude Béliveau

Une panoplie de moyens pour aider l'enfant à développer des stratégies d'apprentissage efficaces et à entretenir sa motivation.

ISBN 2-922770-80-X 2004/280 p.

Comprendre et guider le jeune enfant
À la maison, à la garderie

Sylvie Bourcier

Des chroniques pleines de sensibilité sur les hauts et les bas des premiers pas du petit vers le monde extérieur.

ISBN 2-922770-85-0 2004/168 p.

De la tétée à la cuillère
Bien nourrir mon enfant de 0 à 1 an

Linda Benabdesselam et autres

Tous les grands principes qui doivent guider l'alimentation du bébé, présentés par une équipe de diététistes expérimentées.

ISBN 2-922770-86-9 2004/144 p.

Le développement de l'enfant au quotidien
Du berceau à l'école primaire

Francine Ferland

Un guide précieux cernant toutes les sphères du développement de l'enfant: motricité, langage, perception, cognition, aspects affectifs et sociaux, routines quotidiennes, etc.

ISBN 2-89619-002-3 2004/248 p.

Le diabète chez l'enfant et l'adolescent

Louis Geoffroy, Monique Gonthier et les autres membres de l'équipe de la Clinique du diabète de l'Hôpital Sainte-Justine

Un ouvrage qui fait la somme des connaissances sur le diabète de type 1, autant du point de vue du traitement médical que du point de vue psychosocial.

ISBN 2-922770-47-8 2003/368 p.

Drogues et adolescence
Réponses aux questions des parents

Étienne Gaudet

Sous forme de questions-réponses, connaître les différentes drogues et les indices de consommation, et avoir des pistes pour intervenir.

ISBN 2-922770-45-1 2002/128 p.

En forme après bébé · Exercices et conseils

Chantale Dumoulin

Des exercices et des conseils judicieux pour aider la nouvelle maman à renforcer ses muscles et à retrouver une bonne posture.

ISBN 2-921858-79-7 2000/128 p.

En forme en attendant bébé · Exercices et conseils

Chantale Dumoulin

Des exercices et des conseils pratiques pour garder votre forme pendant la grossesse et pour vous préparer à la période postnatale.

ISBN 2-921858-97-5 2001/112 p.

Enfances blessées, sociétés appauvries
Drames d'enfants aux conséquences sérieuses

Gilles Julien

Un regard sur la société qui permet que l'on néglige les enfants. Un propos illustré par l'histoire du cheminement difficile de plusieurs jeunes.

ISBN 2-89619-036-8 2005/256 p.

L'enfant adopté dans le monde (en quinze chapitres et demi)

Jean-François Chicoine, Patricia Germain et Johanne Lemieux

Un ouvrage complet traitant des multiples aspects de ce vaste sujet: l'abandon, le processus d'adoption, les particularités ethniques, le bilan de santé, les troubles de développement, l'adaptation, l'identité...

ISBN 2-922770-56-7 2003/480 p.

L'enfant malade · Répercussions et espoirs

Johanne Boivin, Sylvain Palardy et Geneviève Tellier

Des témoignages et des pistes de réflexion pour mettre du baume sur cette cicatrice intérieure laissée en nous par la maladie de l'enfant.

ISBN 2-921858-96-7 2000/96 p.

L'épilepsie chez l'enfant et l'adolescent

Anne Lortie, Michel Vanasse et al.

Tous les aspects médicaux et psychosociaux de ce trouble neurologique sont abordés : notions générales, diagnostic, traitement, recherche, soutien communautaire et psychosocial…

ISBN 978-2-89619-070-6 2007/224 pages

L'estime de soi des adolescents

Germain Duclos, Danielle Laporte et Jacques Ross

Comment faire vivre un sentiment de confiance à son adolescent ? Comment l'aider à se connaître ? Comment le guider dans la découverte de stratégies menant au succès ?

ISBN 2-922770-42-7 2002/96 p.

L'estime de soi des 6-12 ans

Danielle Laporte et Lise Sévigny

Une démarche simple pour apprendre à connaître son enfant et reconnaître ses forces et ses qualités, l'aider à s'intégrer et lui faire vivre des succès.

ISBN 2-922770-44-3 2002/112 p.

L'estime de soi, un passeport pour la vie (2e édition)

Germain Duclos

Pour développer des attitudes éducatives positives qui aideront l'enfant à acquérir une meilleure connaissance de sa valeur personnelle.

ISBN 2-922770-87-7 2004/248 p.

Et si on jouait?
Le jeu durant l'enfance et pour toute la vie
(2e édition)

Francine Ferland

Les différents aspects du jeu présentés aux parents et aux intervenants: information détaillée, nombreuses suggestions de matériel et d'activités.

ISBN 2-89619-035-X 2005/212 p.

Être parent, une affaire de cœur
(2e édition)

Danielle Laporte

Des textes pleins de sensibilité, qui invitent chaque parent à découvrir son enfant et à le soutenir dans son développement. Une série de portraits saisissants: l'enfant timide, agressif, solitaire, fugueur, déprimé, etc.

ISBN 2-89619-021-X 2005/280 p.

Famille, qu'apportes-tu à l'enfant?

Michel Lemay

Une réflexion approfondie sur les fonctions de chaque protagoniste de la famille, père, mère, enfant... et les différentes situations familiales.

ISBN 2-922770-11-7 2001/216 p.

La famille recomposée
Une famille composée sur un air différent

Marie-Christine Saint-Jacques et Claudine Parent

Comment vivre ce grand défi ? Le point de vue des adultes (parents, beaux-parents, conjoints) et des enfants impliqués dans cette nouvelle union.

ISBN 2-922770-33-8 2002/144 p.

Favoriser l'estime de soi des 0-6 ans

Danielle Laporte

Comment amener le tout-petit à se sentir en sécurité ? Comment l'aider à développer son identité ? Comment le guider pour qu'il connaisse des réussites ?

ISBN 2-922770-43-5 2002/112 p.

Le grand monde des petits de 0 à 5 ans

Sylvie Bourcier

Ce livre nous présente la conception du monde que se font les enfants de 0 à 5 ans. Il constitue une description imagée et vivante de leur développement.

ISBN 2-89619-063-5 2006/168 p.

Grands-parents aujourd'hui · Plaisirs et pièges

Francine Ferland

Les caractéristiques des grands-parents du 21e siècle, leur influence, les pièges qui les guettent, les moyens de les éviter, mais surtout les occasions de plaisirs qu'ils peuvent multiplier avec leurs petits-enfants.

ISBN 2-922770-60-5 2003/152 p.

Guider mon enfant dans sa vie scolaire (2e édition)

Germain Duclos

Des réponses aux questions les plus importantes et les plus fréquentes que les parents posent à propos de la vie scolaire de leur enfant.

ISBN 2-89619-062-7 2006/280 p.

L'hydrocéphalie : grandir et vivre avec une dérivation

Nathalie Boëls

Pour mieux comprendre l'hydrocéphalie et favoriser le développement de l'enfant hydrocéphale vivant avec une dérivation.

ISBN 2-89619-051-1 2006/112 p.

J'ai mal à l'école
Troubles affectifs et difficultés scolaires

Marie-Claude Béliveau

Cet ouvrage illustre des problématiques scolaires liées à l'affectivité de l'enfant. Il propose aux parents des pistes pour aider leur enfant à mieux vivre l'école.

ISBN 2-922770-46-X 2002/168 p.

Jouer à bien manger · Nourrir mon enfant de 1 à 2 ans

Danielle Regimbald, Linda Benabdesselam, Stéphanie Benoît et Micheline Poliquin

Principes généraux et conseils pratiques pour bien nourrir son enfant de 1 à 2 ans.

ISBN 2-89619-054-6 2006/160 p.

Les maladies neuromusculaires chez l'enfant et l'adolescent

Sous la direction de Michel Vanasse, Hélène Paré, Yves Brousseau et Sylvie D'Arcy

Les informations médicales de pointe et les différentes approches de réadaptation propres à chacune des maladies neuromusculaires.

ISBN 2-922770-88-5 2004/376 p.

Musique, musicothérapie et développement de l'enfant

Guylaine Vaillancourt

La musique en tant que formatrice dans le développement global de l'enfant et la musique en tant que thérapie, qui rejoint l'enfant quel que soit son âge, sa condition physique et intellectuelle ou son héritage culturel.

ISBN 2-89619-031-7 2005/184 p.

Le nouveau Guide Info-Parents
Livres, organismes d'aide, sites Internet

Michèle Gagnon, Louise Jolin et Louis-Luc Lecompte

Voici, en un seul volume, une nouvelle édition revue et augmentée des trois Guides Info-Parents: 200 sujets annotés.

ISBN 2-922770-70-2 2003/464 p.

Parents d'ados
De la tolérance nécessaire à la nécessité d'intervenir

Céline Boisvert

Pour aider les parents à départager le comportement normal du pathologique et les orienter vers les meilleures stratégies.

ISBN 2-922770-69-9 2003/216 p.

Les parents se séparent...
Pour mieux vivre la crise et aider son enfant

Richard Cloutier, Lorraine Filion et Harry Timmermans

Pour aider les parents en voie de rupture ou déjà séparés à garder espoir et mettre le cap sur la recherche de solutions.

ISBN 2-922770-12-5 2001/164 p.

Pour parents débordés et en manque d'énergie

Francine Ferland

Les parents sont souvent débordés. Comment concilier le travail, l'éducation des enfants, la vie familiale, sociale et personnelle ?

ISBN 2-89619-051-1 2006/136 p.

Responsabiliser son enfant

Germain Duclos et Martin Duclos

Apprendre à l'enfant à devenir responsable, voilà une responsabilité de tout premier plan. De là l'importance pour les parents d'opter pour une discipline incitative.

ISBN 2-89619-00-3 2005/200 p.

Santé mentale et psychiatrie pour enfants
Des professionnels se présentent

Bernadette Côté et autres

Pour mieux comprendre ce que font les différents professionnels qui travaillent dans le domaine de la santé mentale et de la pédopsychiatrie: leurs rôles spécifiques, leurs modes d'évaluation et d'intervention, leurs approches, etc.

ISBN 2-89619-022-8 2005/128 p.

La sexualité de l'enfant expliquée aux parents

Frédérique Saint-Pierre et Marie-France Viau

Ce livre traite de la place qu'occupe la sexualité dans le développement de l'enfant de 0 à 12 ans, des types de comportements et de jeux sexualisés ainsi que des comportements sexuels problématiques.

ISBN 2-89619-069-4 2006/208 p.

La scoliose
Se préparer à la chirurgie

Julie Joncas et collaborateurs

Dans un style simple et clair, voici réunis tous les renseignements utiles sur la scoliose et les différentes étapes de la chirurgie correctrice.

ISBN 2-921858-85-1 2000/96 p.

Le séjour de mon enfant à l'hôpital

Isabelle Amyot, Anne-Claude Bernard-Bonnin, Isabelle Papineau

Comment faire de l'hospitalisation de l'enfant une expérience positive et familiariser les parents avec les différences facettes que comporte cette expérience.

ISBN 2-922770-84-2 2004/120 p.

Tempête dans la famille
Les enfants et la violence conjugale

Isabelle Côté, Louis-François Dallaire et Jean-François Vézina

Comment reconnaître une situation où un enfant vit dans un contexte de violence conjugale ? De quelle manière l'enfant qui y est exposé réagit-il ? Quelles ressources peuvent venir en aide à cet enfant et à sa famille ?

ISBN 2-89619-008-2 2004/144 p.

Les troubles anxieux expliqués aux parents

Chantal Baron

Quelles sont les causes de ces maladies et que faire pour aider ceux qui en souffrent ? Comment les déceler et réagir le plus tôt possible ?

ISBN 2-922770-25-7 2001/88 p.

Les troubles d'apprentissage : comprendre et intervenir

Denise Destrempes-Marquez et Louise Lafleur

Un guide qui fournira aux parents des moyens concrets et réalistes pour mieux jouer leur rôle auprès de l'enfant ayant des difficultés d'apprentissage.

ISBN 2-921858-66-5 1999/128 p.

Votre enfant et les médicaments : informations et conseils

Catherine Dehaut, Annie Lavoie, Denis Lebel, Hélène Roy et Roxane Therrien

Un guide précieux pour informer et conseiller les parents sur l'utilisation et l'administration des médicaments. En plus, cent fiches d'information sur les médicaments les plus utilisés.

ISBN 2-89619-017-1 2005/336 p.

Québec, Canada
2006